日本再生の基軸

平成の晩鐘と令和の本質的課題

日本再生の基軸

平成の晩鐘と令和の本質的課題

寺島実郎

岩波書店

はじめに

我々日本人は「平成」の晩鐘と「令和」の晩鐘を聞いた。心の底でその音色をどう受け止めるのか、研ぎ澄まされた感受性が問われている。

平成の三〇年間は東西冷戦後の三〇年でもあった。この間の世界の構造変化と日本が置かれた状況の変化を確認することは、令和という時代のテーマを認識し、我々自身がどう生きるのかを探る基盤である。この本の主眼は、私自身の平成の体験的総括であり、それを踏まえた令和への課題設定にある。

思えば、私は平成の初頭の約一〇年をニューヨーク、ワシントンと米国東海岸で過ごした。あの一〇年は、東西冷戦が終わり、冷戦期に米国が作り出した軍事情報通信技術（ＡＲＰＡＮＥＴ《アーパネット》）が民生転換されてインターネットが登場してＩＴ革命が動き始めた時期であり、冷戦の勝利者となった超大国米国の「一極支配」という幻想が流布され、米国流の金融資本主義が世界に浸透、それを「グローバリズム」と誤認して世界が突き動かされていた時代でもあった。

私が日本に帰国したのは一九九七年であったが、二一世紀の劈頭《へきとう》の「9・11同時多発テロ」を境とする米国の迷走と消耗、そしてそれと過剰同調する日本の埋没を目撃することになった。

平成が始まる頃、一九八八年の世界GDPに占める日本の比重は一六％であった。敗戦後の復興・成長を経た「工業生産力モデルの優等生」としての日本の到達点でもあった。それが、三〇年後の二〇一八年の世界GDPに占める日本の比重は六％にまで下落した。三菱総研が二〇一九年に発表した「未来社会構想2050」という報告によれば、二〇五〇年の世界GDPに占める日本の比重はわずか一・八％にまで下落すると予想されている。もちろん、GDPは国力の一指標にすぎないが、創出付加価値の総和であり、その国の国民の知恵と行動が滲み出る指標でもあり、新たな次元でこの予想を覆す日本の潜在力が問われている。

罪深いのは「アベノミクス」なる虚構の政策論である。「金融を異次元緩和すれば経済は上向く」という、呪術にも近いリフレ経済学に幻惑され、金融をジャブジャブにしてマイナス金利まで導入したものの実体経済は動かず、株価だけが高騰しているかにみえるが、「マネーゲーム」だけが肥大化して「分配の格差」を生み、結局のところ、多くの国民を幸福にしてはいない。産業と技術の話が後退し、「技能五輪での日本の埋没」は報道もされなくなった。研鑽《けんさん》と蓄積を正しく評価しない国になったのだ。

経済の埋没と政治の矮小化は間違いなく相関している。一〇年前、「日本をアジアのリーダーとして国連安保理常任理事国に」と語るアジアの有識者もいたが、今や全く姿を消した。「日本の一票はトランプのアメリカの一票にすぎない」という目線があるのみである。

私が生まれた一九四七年は日本国憲法の施行の年であるが、その憲法の内容に中学・高校の教育を通じて向き合った時、その前文にある「われらは、平和を維持し、専制と隷従、圧迫と偏狭を地上から永遠に除去しようと努めてゐる国際社会において、名誉ある地位を占めたいと思ふ」という文章に、自分が参画する戦後日本のビジョンを心に刻んだものである。その後、さまざまな局面で世界との接点に立った時も、「名誉ある地位」を得る役割を自問自答したといえる。だが、現在の日本の政治は、「中国・韓国にはなめられたくない」という偏狭なナショナリズムを際立たせる外交と「官邸主導」という名の「身内身びいき」の忖度《そんたく》政治に堕しており、とても国際社会に名誉ある地位を求めるレベルのものではない。悲しいほどビジョンと構想力に欠けるのである。

「道に迷わば、木を伐りて年輪を見よ」という言葉がある。日本近現代史をしっかりと見据え、過去と未来を繋ぐ道筋を求めていきたい。

目次

装丁＝森　裕昌

第1章　平成の晩鐘が耳に残るうちに

――体験的総括と冷静なる希望

「平成の三〇年」とは、「冷戦後」といわれる世界史の潮流と並走した時代であった。一九八九年の一月に平成がスタートしたが、ベルリンの壁が崩壊したのはその年の一一月であり、一二月の地中海マルタでの米ソ首脳会談（ブッシュ・ゴルバチョフ会談）で「冷戦の終焉」が宣言され、この二年後の一九九一年にソ連邦は崩壊した。平成の晩鐘が耳に残る今、平成とは何だったのか、世界の構造変化と日本の対応を体系的に整理し、確認しておきたい。この作業が、「令和」なる日本の進路を拓く上で、不可欠と考える。

平成は、第二次世界大戦後、半世紀近く世界を東西に二分してきた冷戦の終焉を告げる鐘の音とともに始まった。私自身は、一九八七年から冷戦の終焉をまたいだ一九九七年までの一〇年間、ニューヨーク、ワシントンと米国の東海岸において活動した。この間、大西洋を越えて、ソ連崩壊前後のモスクワや東欧諸国を訪れる機会も多く、そうした体験を通じて、冷戦の終焉が如何に重い意味を持ったのかを実感してきた。

「冷戦」とは、資本主義対社会主義という体制選択を軸に世界が分断され、米国とソ連を頭目として対決していた緊張状態をイメージしがちだが、冷静に振り返るならば、米ソ二極の下に、民族や宗教などの地域紛争要素と社会問題が封印されていた状況ともいえる。その冷戦後のマネジメントに失敗したのが米国であり、冷戦の勝利者だったはずの米国はリーダーとしての制御力を後退させた。

冷戦の終焉は二つの意味で世界史のパラダイムを変えた。政治的には、冷戦の終焉直後「米国の一極支配」といわれていた政治構造は、米国の後退によって変化し、明らかに世界は多極化、多次元化しているのだが、深層底流において政治とは異なる次元での構造変化が進行したことを見抜かねばならない。

金融革命の進行――悩ましい金融資本主義の肥大化

一九八七年五月、ニューヨークでの生活を始めた頃、私は『ニューヨーク・タイムズ』紙上で「ジャンクボンドの帝王」といわれていたマイケル・ミルケンの存在を知った。のちに、映画『ウォール街』(一九八七年)の主人公のモデルにもなり、インサイダー取引で有罪とされて失脚する運命をたどるミルケンだが、彼が生み出したジャンクボンドのような金融の仕組みが、与信リスクの高いベンチャー企業にも金が回る仕組みとして機能し、ＩＴ革命を担ったＩＴベンチャーを支えたともいえ、動き始めた新たな金融の象徴であった。

その年、一九八七年一〇月一九日にダウ平均株価の二三％下落をもたらした「ブラックマンデー」が起こる。大蔵省護送船団方式によって動く日本の産業金融に慣れきった私にとって、危うさをはらんだウォールストリートの新たな動きは刺激的だった。一九九〇年代には、ビジネスを取り巻く多様なリスクのマネジメントを金融ビジネスモデルとする「ヘッジファンドの帝王」ジョージ・ソロスの存在が際立ち、彼とは三度ほど面談する機会を得た。ビジネス活動に伴うリスク（たとえば為替変動）のマネジメントを金融商品化する新しい動きがヘッジファンドだった。

新しい金融の教科書ともいわれたバートン・マルキールの『ウォール街のランダム・ウォーカー』は一九七三年に出版されており、原書はすでに第一一版を重ねている（第一一版邦訳、日本経済新聞出版社、二〇一六年）。インデックス・ファンドなど「行動ファイナンス」といわれる金融技術は四〇年も前から研究されてきたが、冷戦の終焉がそれを加速させる転機になった。

確かに、金融技術の高度化には、冷戦の終焉の持つ意味が重かった。冷戦期、米国の理工科系大学の卒業者の三分の二以上が広義の軍需産業（宇宙航空機産業や造船業を含む）に雇用・吸収されていたという。冷戦が終わり、軍事予算削減の中で軍需産業がリストラの嵐に直面し、新たな採用を控えだした。そこで理工科系卒業者が向かったのが金融であり、金融セクターが「金融工学」を支える人材を必要としたこともあり、こうした人材が入ることで金融という世界が急速に変わり始めたのである。

一九九九年、冷戦後の新自由主義という思潮を投影し、一九二九年の大恐慌の教訓を受けて「銀行と証券の垣根」を設定した「グラス・スティーガル法」は廃止され、より手の込んだ金融工学に立つ金融商品が生まれてきた。二〇〇八年のリーマンショックをもたらしたサブプライム・ローンは、与信リスクの高い貧困者にも金を貸す理論と持ち上げられ、この理論枠を構築したマイロン・ショールズとロバート・マートンは一九九七年のノーベル経済学賞を受賞した。金融工学がアカデミズムにおいて認知されたのである。

リーマンショックを経ても「ウォールストリートの懲りない人々」は一段と増殖している。二〇一六年の大統領選挙で、当初ヒラリー・クリントンを応援していたウォールストリートは、トランプ当選となると、二〇一七年の一年でダウ平均を二五%跳ね上げる「トランプ相場」を盛り上げ、二〇一〇年にオバマ政権がリーマンショックの教訓として制定した「金融規制改革法」(ドッド・フランク法)は大統領令で見直しが指示され、規制緩和への法改正が実現した。

リーマンショック後の金融資本主義は、「ハイ・イールド債」「仮想通貨」と新手の金融商品へと資金を引き込み、スーパーコンピューターを駆使したフィンテックなど高度な運用へと突き進んでいる。もはや全体像を理解・掌握するのは困難というレベルに至っている。「金融資本主義の総本山」たるウォールストリートが発信し続けているメッセージは「借金してでも経済を拡大させよう」ということであり、今や世界中の国家、企業、個人が抱える借金(債務)の総額は、世界GDPの四倍を超したという。

冷戦後の三〇年の「資本主義の勝利」の後に進行したものは経済の金融化(金融資本主義の肥大化)であり、この債務の膨張は「資本主義の死に至る病」が進行しているといえる。チャールズ・P・キンドルバーガーの『熱狂、恐慌、崩壊――金融恐慌の歴史』は一九七八年に初版、二〇〇〇年に第四版が出たが(第四版邦訳、日本経済新聞社、二〇〇四年)、繰り返される金融危機を制御する視界は見えていない。

そして、「経済の金融化」という流れは、マネーゲームの恩恵を受ける人と取り残される人の「格差と貧困」という問題を際立たせ、それが世界の構造不安の潜在要因となっていることは否定できない。

情報ネットワーク技術(IT)革命の進行――データリズムの時代へ

もう一つ、冷戦後の世界に進行したものは「IT革命」であった。そのことはクラウド、ビッグデータ、AI(人工知能)といわれる時代に至るプロセスを振り返れば明らかである。

一九八七年五月、米国駐在となってニューヨークに出発した時、私は六キロほどもあるワープロ、東芝ルポを担いで成田を発った。まだ汎用コンピューターが主流の時代であり、マイクロ・コンピューターをつないでネットワーク化する「IT革命」前夜であった。一〇年後、ワシントンから帰国する時には、機内でパソコンに向かい原稿を打ち込む時代になっていた。

ＩＴ革命は冷戦後の軍事技術の民生転換を起点とした。今日、インターネットといわれる情報技術の原型は、一九六二年にペンタゴン（国防総省）の委託を受けたランド・コーポレーションのポール・バランによってコンセプトが創られ、一九六九年にはペンタゴンの情報システムとして完成していたＡＲＰＡＮＥＴである。冷戦の時代、ソ連からの核攻撃で中央制御のコンピュータが破断されるリスクを回避するために「開放系・分散系の情報ネットワーク技術」として作られたのがＡＲＰＡＮＥＴであり、冷戦の終焉を受けて、軍事目的で創った技術の民生での活用を図ることで生まれたのがインターネットであった。まさに一九八九年が学術ネットへの技術開放がなされた「インターネット元年」であり、その後、一九九〇年代に入って商業ネットワークへの開放がなされ、世界はＩＴ革命の時代に入ったのである。

ワシントンＤＣで仕事をしていた一九九〇年代、ワシントン郊外のバージニア州北部にＩＴ関連企業のビルが林立するのを見つめ、インターネットサービス会社アメリカ・オンラインの日本進出などにも関与していた私だが、「パソコン」がインターネットにつながり、アップル、マイクロソフトなどが躍動し始める光景を、驚きをもって見つめていた。当時のアップルはマッキントッシュのパソコン会社で、一九九七年にスティーブ・ジョブズが経営に復帰した。マイクロソフトは一九九〇年にウィンドウズ３・０を発売してＯＳ分野を席巻、アマゾンは一九九四年設立、グーグルは九八年設立で、まだ存在感は無かった。

二〇一九年三月末現在、ＩＴ革命をリードした五社（ＧＡＦＡ＝グーグル、アップル、フェイスブック、アマゾンとマイクロソフト）の株式時価総額は四・〇兆ドル（約四四〇兆円）となり、「モノづくり国家・日本」を代表する企業たるトヨタ自動車の時価総額がわずかに二一兆円、日立製作所三兆円、新日鉄住金（現・日本製鉄）二兆円という現状こそが平成三〇年間の結果なのである。

通奏低音としての「新自由主義」とその挫折

私は本稿を「平成の晩鐘」というタイトルで書き進めているが、冷戦後の世界の通奏低音となったイデオロギーが「新自由主義」であった。

金融と情報の二つの革命をもたらした背景に存在した政策思潮も新自由主義であった。一九八〇年代、冷戦の終焉を主導したレーガン大統領（在任一九八一〜八九年）、サッチャー首相（在任一九七九〜九〇年）が推進した思潮であり、シカゴ学派といわれたミルトン・フリードマンなどの理論に依拠するもので、ケインズ主義（自由放任ではなく国家が介入・制御する）を否定し、「規制緩和、福祉削減、緊縮財政、自己責任」をキーワードとする思潮であった。絶対王政と対峙し、自律的市民社会を志向して国家介入の制約を主張したかつての古典的な自由主義とは異なるもので、その新自由主義の政策思想を推し進めた結果、直面した挫折がリーマンショックであり、この金融破綻を境に「国家による介入・制御への回帰」へと世界は反転したのである。

新自由主義の旗の下に冷戦後の米国は突き進み、その潮流の中で金融と情報という新しいテクノロジーの結合による米国経済の復権を果たしたのだが、一方で、米製造業の海外展開（産業の空洞化）が加速され、米国への移民労働力の流入という流れが形成された。ウォールストリートとシリコンバレー（IT企業）には光が当たり、巨万の富を得る人たちも登場したが、他方で「取り残された影」の部分を生み出し、二極分化と格差を増幅したといえる。これこそが「グローバル化」を否定するトランプの登場の伏線になったのである。

日本にとっての平成の三〇年——失速の構造

日本の平成期は株価のピークアウトとともに始まった。平成元（一九八九）年の年末、日経平均株価は三万八九一五円と史上最高値で年を越した。

その後、下落基調をたどった株価は、リーマンショック後の二〇〇九年秋には、一時、バブル崩壊後最安値の六九九四円と最高値の五分の一にまで下落した。平成が終わろうとする二〇一九年四月中旬の時点での日経平均は二万二〇〇〇円前後を動いており、「異次元の金融緩和で株価を上げる」というアベノミクス（金融政策に依存した調整インフレ政策）が一定の効果をあげているように見えるが、「異次元金融緩和」という金融政策に極端に依存した景気浮揚策の長期継続が経済の歪みをもたらし、実体経済を毀損していることが次第に明らかになっている。

平成の初頭に向けて、一九八〇年代末の日本においては途方もない不動産バブルが膨らんでいた。八七年の東京圏（商業地）の地価は前年比七六％上昇、八八年は六九％上昇しており、「土地本位制」などという言葉がささやかれ、「天下の興銀」といわれた日本興業銀行などが大阪の料亭の女将に二・八兆円も貸し込むという異常な事態になっていた。市街地価格指数という指標があるが、一九九〇年をピークとして、二〇一八年には商業地は七六％、住宅地は四八％も下落、不動産バブルは吹き飛んだのである。

バブルで膨らんだ金融資産が、一九八五年のプラザ合意後の円高を梃《てこ》にアメリカに向かった。八四年に一ドル＝二五一円だった円ドル・レートは、八六年には一六〇円となり、日本のバブルで水膨れした資産を四割近くも優位な為替レートで運用しようと、「アメリカを買い占める日本」という嵐が吹き荒れた。「ソニーのコロンビア映画買収」「三菱地所のロックフェラー・センター買収」が話題となり、当時マンハッタンに生活していた私の周りでも「胴巻に百ドル札を詰めてニューヨークに来た」という日本の不動産業者がマンハッタンの古いビルを買《か》い漁《あさ》っていた。その後の展開を見ると、アスベスト問題などを抱えた不良物件をつかまされ、地元の業者に買い叩かれて撤退、結局は幻のごとく霧消していった事例が多かった。

アメリカの衰亡論の誤り——失速したのは日本

一九八〇年代末、平成が始まる頃、日本においては「アメリカ衰亡論」が語られていた。「アメリカを買い占める日本」が吹き荒れ、日米財界人会議において「もはやアメリカに学ぶものはない」と豪語する日本の経営者もいた。チェッカーズの『Song for U. S. A.』は一九八六年の歌だが、衰亡するアメリカへの哀愁のセレナーデであった。

「This is the Song for U. S. A.　最後のアメリカの夢を　俺たちが同じ時代を駆けた証しに…（中略）見えないもの信じられた　ティーンネイジのまま約束だよ」

哀愁を帯びたメロディーとともにアメリカの挽歌を奏でていた。実は、二〇一八年にヒットしたＤＡ ＰＵＭＰの『Ｕ．Ｓ．Ａ．』も、オリジナルは一九九二年、イタリア人のジョー・イエローによる作品で、本来の曲想は「アメリカン・ドリームが交差するタイムズスクエア」など輝いていたアメリカの衰退を慰めるものだったのだが、今日の日本を投影してダンスの派手な振り付けが目立つ「元気な歌」に変質してしまった。

アメリカ衰亡論は正しくなかった。確かに、政治的には9・11からイラク戦争における「イラクの失敗」を経て、冷戦直後に「唯一の超大国」といわれていた米国の指導国としての地位は後退した。明らかに世界を束ねる「正統性」を失ったといえる。

ただし、国家としての産業政策が功を奏したわけではないが、シリコンバレーとウォールストリートの自己増殖力によって米国の経済は「甦るアメリカ」を演出した。さらに、二〇一〇年代に入っての「シェールガス・シェールオイル革命」によって天然ガスと原油の生産量が世界一になったことも追い風となり、世界ＧＤＰにおける米国の比重は、二〇一八年に二四％（ＩＭＦ推計、一九八八年は二八％）で持《も》ち堪《こた》えている。国家と産業の乖離《かいり》である。国家としての米国は世界を制御する力を失い、産業としてのアメリカはウォールストリートのしたたかさとシリコンバレーのイノベーションに支えられ影響力を保持しているのである。なんとも皮肉な現実である。

むしろ、日本のほうが「衰亡」といわれても仕方がない数字を突きつけられているといえる。世界GDPにおける日本の比重は、一九八八年の一六％から、二〇一八年には六％にまで下落した。経済が「経世済民」という言葉から成立したことを思い起こしても、最も大切なのは「民」、すなわち国民が平成期に豊かになったか否かである。驚くべき数字だが、二〇一八年の消費者物価指数が一九九〇年比で一一・一％上昇しているのに対して、勤労者世帯可処分所得はわずか三・二％増加（注、可処分所得がピークの一九九七年からは八・五％下落）というのだから、国民生活は平成期を通じて苦しくなったことになる。「デフレからの脱却」を掲げ、何とか物価を上げようとする「リフレ経済学」がいかに国民にとって適切ではないか、論じる必要もない。

平成元（一九八九）年、世界の企業の株式時価総額トップ五〇社のうち、三二社が日本企業であった。二〇一八年、同じく五〇社中、日本企業は一社のみ、トヨタ自動車だけである。もちろん、日本企業もIT革命を真剣に受け止め、この三〇年間、日本でもIT革命は進行した。しかし、日本にGAFAは生まれなかった。日本では「工業生産力モデル」の枠組みの中でしかIT革命を構想できず、日本のIT革命は「データリズム」（データを支配するものがすべてを支配する）の方向に進まなかった。あくまで、IT関連素材、電子部品に加え、回線業、ネット通販ビジネスに傾斜し、ビッグデータのプラットフォームを握る構想に欠けていたといえる。

中国の台頭というインパクト――依存と苛立ち

平成三〇年間の日本を取り巻く環境の中で、日本人にとっての衝撃は中国の台頭であった。平成が始まった頃、中国のＧＤＰは日本の八分の一であった。それが、平成が終わる二〇一八年には約三倍になっていた。貿易相手として中国が占める比重も、一九九〇年にはわずかに三・五％であったが、二〇一八年には二三・九％（含、香港・マカオ）となり、対米貿易の一四・九％を大きく上回っている。日本人の心理は微妙で、日本産業が中国との相互依存を深めていることを実感しながらも、中国の台頭に脅威を覚えており、「複雑骨折」しているといえる。

一九八九年は天安門事件の年であり、中国が「冷戦の終焉」という世界潮流において、混乱の中にあった。その後の中国は「改革開放路線」を選択しながら、「社会主義的市場経済」として社会主義へのこだわりをみせ、国家統制型資本主義という実態を色濃くしてきた。二〇一八年五月にはカール・マルクス生誕二〇〇周年記念大会を北京で行ない、社会主義に見向きもしないプーチン政権下のロシアとの対照を見せている。

ＩＴ革命という面で、中国はテンセント、アリババ、ファーウェイなどのプラットフォーマーズを育てた。ファーウェイは非上場企業だが、テンセント、アリババだけで時価総額一兆ドル（約一〇〇兆円）という巨大企業に一気に駆け上がった。「蛙跳《かわずと》びの経済」と表現され、固定電話が普及していなかった中国のほうが、携帯電話が一気に普及するという皮肉を意味しているようだが、中国のＩＴイノベーターとその背後にある国家は、ＩＴ革命の進路が「データリズム」にあることを見抜き、戦略意思を持って立ち向かったことは確かで、米国が中国に脅威を感じる部分がここにある。

繰り返された改革幻想と改革疲れ——行き着いた「常温社会」

冷戦後の日本の政治は、「改革幻想」の中を走った。そして「改革」を支える基本思想は新自由主義であった。

まず「行政改革」で、一九八〇年代から臨時行政調査会（土光敏夫会長）などの動きを受けて国鉄、日本電信電話公社、日本専売公社の三公社の民営化を実現、二〇〇一年には中央省庁再編に踏み切り、一府二二省庁を一府一二省庁にした。だが、これによって行政が効率化されたかと問えば、公務員の数が大きく削減されたわけではなく、しかも「政治主導」の名の下に「官邸主導」の流れが形成され、行政機能そのものを劣化させた面もある。たとえば、ＩＴ革命という世界潮流に対して、日本は総務省という枠組みで向き合うことになった。国家の情報ネットワーク技術戦略を「総務」（その他一般事項）という名前で対応したことが、構想力の欠如を象徴するものになったといえる。

次に「政治改革」であり、非自民の八党派連立の細川護熙《もりひろ》内閣の下に、一九九四年、衆議院の選挙制度を「小選挙区比例代表並立制」に変更する法案が可決され、政治改革論は選挙制度の変更に終わった。本来、代議制民主主義のありかたを吟味し、議員定数の削減などに踏み切るべきであったにもかかわらず、手がつかなかった。今日に至るも、人口比で米国の二倍以上もの国会議員を抱える構造は変わらず、むしろ小選挙区制の弊害だけが目立つ状況を迎えている。

さらに、「小泉構造改革」に至り、「改革の本丸が郵政民営化」という奇妙な時代に向き合うことになった。二〇〇五年、劇場型政治といわれた刺客が飛び交う「郵政選挙」にメディアも興奮していたが、国民経済的にみて郵政民営化が的確だったかどうかは答えに窮する。郵政事業の効率化という意味では妥当だったともいえるが、地方を毛細血管のようにめぐって支えた郵便局が民間会社になることで、地域社会のコミュニティーが希薄(空洞化)になっている事例を多く目撃するからである。二〇〇七年の分割民営化から一〇年以上が経過したいま、誰が、一番得をしたのかを検証すれば筋道は見えてくると思う。

冷静に再考すれば、改革幻想とは米国への過剰同調であり、新自由主義への応答歌であった。「規制緩和」「郵政民営化」と騒いでいた小泉改革期の日本であったが、二〇〇八年のリーマンショックを経て、米国が国家主導の異次元金融緩和に動くと、新自由主義は豹変、日本も「リフレ経済学」を金科玉条とするアベノミクスに引き込まれ、いまだにその呪縛から解放されずにいる。

国民の多くに「改革、改革と騒いできたが、結果は空疎だな」という脱力感が広がっているといえる。また、「究極の改革」ともいえた民主党への政権交代も、民主党なる党に群がった人たちの、劣弱さ(政策思想の基軸のなさ、政治家としての覚悟の欠落)を見せつけ自壊していった姿を目撃し、人々は政治に過大な期待を抱くことから後ずさりしつつあるといえる。日本の停滞、低迷を安定と認識する心理に埋没し始めているともいえる。

平成三〇年間において日本人の心は変わった。ＮＨＫ放送文化研究所の世論調査(第一〇回「日本人の意識」調査)に注目したい。「生活全体の満足度」について、一九八八年調査では二五％が「満足」としていたが、二〇一八年では三九％になり、「どちらかといえば、満足」と答えた人(一九八八年六一％、二〇一八年五三％)を足して、一九八八年に八六％だったのが、二〇一八年には実に九二％となっており、多くの日本人が現状に満足している状況が確認できる。ただし、「不満はないが不安がある」というのが各種の世論調査結果から浮かび上がる現代日本の社会心理といえる。二一世紀に入っての日本が「常温社会」に浸り、「イマ・ココ・ワタシ」(「先より今」「期待より現実」「公より私」という価値を優先)という「内向する日本」に傾斜していることについては本書第２章４「荒れる世界と常温社会・日本の断層」で論じた。

3・11の衝撃と試練

平成日本にとって「3・11の衝撃」は凄まじかった。二〇一一年三月一一日の東日本大震災は、地震・津波によって二万人以上の犠牲者がでたことも衝撃であったが、東京電力福島第一原発のメルトダウンは、まさに戦後日本の基盤を根底から突き崩す出来事だった。脳震盪《のうしんとう》を起こしたような中で、エネルギー問題に関わってきた者の責任の一端を共有しながら、雑誌『世界』の連載において「戦後日本と原子力」を再考察する格闘を続けた(『脳力《のうりき》のレッスンⅣ』岩波書店、二〇一四年に所収）。

フクシマは二重の意味において、日本人に戦後日本の虚構性を突き付けた。

一つは、日本にはメルトダウンが起きた格納容器を収束させる能力はないという現実であり、あの愁嘆場の中で「米軍による日本再占領」が検討されていたという事実である。国も電力会社もそんな原発を稼働させていたということである。

二つは、そうした構造に依拠しているためともいえるが、福島第一原発一号機をフル・ターン・キー（「東電は運転開始キーをひねるだけ」）で建設した米ゼネラル・エレクトリック（GE）社の製造者責任には一切踏み込まなかったことである。国会事故調査委員会などさまざまな調査報告が出されたが、「津波による電源喪失」を想定しなかったGE社には事実関係の確認調査さえなされなかった。

もし、日本が本気で「脱・原発」を目指すのであれば、二〇一八年に自動延長した日米原子力協定を見直し、日米安保条約の総体を再検討する覚悟が必要となる。「脱・原発に踏み切りたいが、米国の核抑止力には守られたい」と考えること自体が、あまりに日米関係の本質を知らない非現実的議論なのである。日本は「日米原子力共同体」の一翼に組み入れられており、軍事とエネルギーは一体化されているのである。

この東日本大震災を境に、国民の心理に不安が高まり、その反動として、やたらに「絆」とか「連帯」という言葉が好まれるようになり、それが国家による統合・統制を期待する心理への傾斜につながったという面も否定できない。戦前の関東大震災(一九二三年)が治安維持法を生む時代の空気につながったように、閉塞感が統合志向を招くともいえる。

平成三〇年間の日本外交――アメリカへの過剰同調という呪縛

平成三〇年間の日本外交を振り返るならば、「対米協力」を「国際貢献」と言い換えながら、次第に「アメリカの戦争」に一体となって巻き込まれていく国を造ったといえる。始まりは湾岸戦争(一九九一年)で「多国籍軍への支援」として、日本は九〇億ドル(約一・二兆円)を支払い、アフガン・イラク戦争では「カネだけでは評価されない」として、「ショー・ザ・フラッグ」に呼応してインド洋、イラクへと自衛隊を派遣した。

思えば、私の『世界』誌への寄稿もこの頃に始まり、「『不必要な戦争』を拒否する勇気と構想――イラク攻撃に向かう『時代の空気』の中で」(二〇〇三年四月号)以来、今日まで安易な対米協力がこの国の矮小化を招くことを論じてきた。

そして、ついに安倍晋三政権下での日本は、米国への集団的自衛権の行使可能な安保法制に踏み込み、日米の軍事一体化を鮮明にした。この背景には、中国の台頭というプレッシャーがあり、主体的に自らの運命を切り拓く構想力と行動力の無い国は「米国と手を組んで中国の脅威と戦う」というレベルに目線を落としてしまった。

直近の体験で、アジア諸国の有識者たちと議論をして実感したことだが、「何故、日本はトランプをノーベル平和賞に推薦する国になったのか」「何故、日本は国連の核兵器禁止条約に入ろうとしないのか」という質問を受け、いかに日本が、平成期を通じて米国への過剰同調と過剰依存の国に変質したのか思い知らされた。「日本を国連安保理常任理事国へ」という声は、いつの間にか消えた。我々は、「アメリカの一票を増やすだけだから」という、アジアの失望の目線に気付かねばならない。

冷戦が終わって、同じ敗戦国だったドイツが、一九九三年に在独米軍基地をすべてテーブルにのせて米国と向き合い、基地一つ一つの機能と目的を検証し、米軍基地の段階的縮小と地位協定の改定を実現し、ドイツの主権を回復したのとは対照的に、「アジアでは冷戦は終わっていない」という程度の認識で、日本は米軍基地を主体的に見直すという意思を示さなかった。実は、この硬直性が今日でも沖縄の基地問題を縛り付けているのである。

確かに、これまでも「成熟した大人の関係」(一九九四年、細川政権)や「対等な日米関係」(二〇〇九年、鳩山由紀夫政権)という言葉での対米自立志向を漂わせるフレーズも登場したが、必ず「抑止力」(日本を守ってくれるのはアメリカだ)という言葉に引き戻され、冷戦後にふさわしい対米関係を再設計する粘り強い意思も具体的構想も示されないまま萎えていった。結局、平成期の日本は呪縛のごとくアメリカへの過剰同調の中に沈潜したといえる。

アメリカへの過剰同調を生む構造

何故、日本は対米過剰同調を続けるのか。

R・ターガート・マーフィー『日本・呪縛の構図』（全二巻、早川書房、二〇一五年）は、ワシントンDCに生まれ、一九七五年に来日して以来、四〇年以上も日本に在住する知識人として、投資銀行家、さらに歴史の研究者として日米関係を注視してきた視座からの作品として興味深い。この本の著者マーフィーの視座を構築した体験は、面白いほど私の真逆である。私は、日本人として米東海岸に一〇年以上張り付き、その後も波状的にワシントンを訪れて日米関係を注視してきた。つまり、マーフィーと私は相手の国に生活し、その立ち位置で日米関係を見つめてきたことになる。それが、不思議と同じ認識を共有しているのである。

マーフィーは、米国が日本の国益など眼中にないにもかかわらず、敗戦後の日本が「従属国」の地位に埋没し続けている理由として、日米関係の固定化を自分たちの利益と考える「ジャパン・ハンズ」という米政権の日本問題専門家たちの存在を指摘している。私も、日米安保を「飯のタネ」として活動しているワシントンにおける自称「親日家」の「安保マフィア」とでもいうべき日米関係専門家たちが、日米関係の見直しを阻害していることを実感し、何回も指摘してきた。

ただし、こうした状況を単純な被害者意識をもって議論することは正しくないであろう。むしろ、ワシントンの「安保マフィア」と連携し、現状の固定化を図ろうとする者が日本の政治家、外交官、メディアにも多く存在しているということである。日本側が自ら「呪縛」の中に回帰し、閉じこもる傾向を有していることこそ問題だと思われる。「知米派」の日本人が現状固定化の中核になっているのである。

コーネル大学で教壇に立つ酒井直樹の『ひきこもりの国民主義』(岩波書店、二〇一七年)は「パックス・アメリカーナの終焉」に直面してもなお、アジアに背を向けて「アメリカの下請けの帝国」にしがみつこうとする日本のひきこもりの精神構造を解明しようとする。その試みは示唆的で、日本社会に存在する「無責任の体系」が変革を阻む力になっていることに溜息をつかざるをえない。日本の支配構造には「説明責任」を回避する空白が存在し、それを忖度する取り巻きが問題を霧消させる構造になっているのである。エティエンヌ・ド・ラ・ボエシの『自発的隷従論』(ちくま学芸文庫、二〇一三年)は一六世紀に書かれたものだが、「支配者のおこぼれに与《あずか》る取り巻き連中が支え、民衆の自発的隷従によって圧政は成り立つ」という構図は人類史を貫いているようである。

次の扉を開く希望――問われる主体的な構想力

歴史において、「成功体験」は固定観念となって次の時代を縛り、失敗への導線になることが多い。戦前の日本では、日清・日露の戦勝体験が、軍国日本への傾斜と軍部の専横の導線となり、世界認識を誤り、昭和軍閥を制御できないまま不幸な戦争に至り、敗戦を迎えた。戦後日本は、日米同盟に守られて「軽武装・経済国家」として冷戦期を生き延び、復興・成長という形で工業生産力モデルの成功体験を味わったものの、平成の三〇年間においてはそれが反転し、制約になったといえる。世界の構造変化と日米関係の位相の変化によって、戦後昭和の成功モデルが機能不全に陥っているにもかかわらず、固定観念にしがみついている構図は、本稿で論じてきた。「日本を取り戻す」などという後ろ向きで貧困な視界からは未来は拓けない。

日本の未来を切り拓く希望は何か。確実に言えるのは、戦後日本の総体を再考し、それを未来の糧としていくしかない、ということだ。最も大切なことは、戦後民主主義を根付かせることである。世界の潮流の中での日本の埋没、中国の強大化と強権化という現実を前にして、民主主義の煩わしさに苛立ち、国権主義・国家主義への誘惑に駆られがちとなる。反知性主義的な言動を「率直な本音」と感じ、ポピュリズム（大衆迎合主義・大衆扇動主義）に拍手を送り、民主主義を冷笑する風潮に引き込まれがちとなる。

だが、戦争という悲惨な代償を払って手に入れた民主主義の価値を見失ってはならない。自分の運命を自分で決められること、国民一人一人が思考力、判断力をもって自分が生きる社会の進路を決められることこそ、戦後なる日本の宝である。とくに、平成という時代を暗黙の裡に制約してきた「米国への過剰同調」がもたらす不幸な結末を見抜き、主体的に未来を選択できるのかがこれからの日本人の課題となるであろう。そのための「知の再武装」がカギになるのだが、私は日本人の賢明さを信じたい。

もう一つの未来への希望につながるキーワードは、アジアである。十数年後、日本を除くアジアのＧＤＰは二〇一八年の倍になっていると予想され（年平均実質成長六・五％として）、貿易・観光などあらゆる意味で、日本はアジア・ダイナミズムを吸収して活力を保つ柔らかい知恵が不可欠となる。「反中国、嫌韓国」のレベルでのナショナリズムではますます閉塞感に埋没するだけである。二一世紀を展望した世界史的構想力が必要であり、成熟した民主国家であり技術をもった先進国としての日本を輝かせる政策構想が錬磨されねばならない。信頼と敬愛を得られる日本を創ることが重要である。

一〇年前のことだが、ドイツのベルリンでの会議に参加し、元西ドイツの首相ヘルムート・シュミット(一九一八〜二〇一五年)と三日間、同席したことがあった。東西ドイツの統合に大きな役割を果たした老政治家の話は深い洞察に裏付けられたものであったが、アジアの未来に関する発言の中で、「日本はアジアに真の友人がいないね」と言い切っていた。

国際関係、とくに近隣諸国との関係は決して甘いものではなく、近代史における日本のアジアとの関わりを考えたならば、「真の友人」を求めることは容易ではない。だが、過去を肯定したくなる誘惑を断ち、経済的利害だけで向き合う姿勢を抑え、素心をもってアジアと対話し、相互利益になる未来構想を推進することへと日本を向かわせる指導者の見識と度量が求められるのである。

平成の晩鐘が遠のく中で、「忘れてはならないこと」として、あの時のシュミットの表情を思い出している。

(二〇一九年六月号)

第2章　世界の構造変化への視座

1　中国の強大化・強権化を正視する日本の覚悟

いま多くの日本人の世界認識を混濁させている最も大きな要素は、中国の強大化と強権化である。二一世紀を迎える前年、二〇〇〇年の中国のGDPは日本の四分の一にすぎなかった。そのわずか一〇年後の二〇一〇年、中国のGDPは日本を上回った。そして二〇一八年は、日本の三倍になると予想される。この成長のスピードに幻惑され、日本人は中国を的確に認識できないでいる。中国のGDPは、このトレンドが延長されれば、約二〇年後には日本の六倍になるであろう。

成長のスピードだけではない。その中身が衝撃的である。ICT（情報通信技術）革命が日本より進んでいる。デジタル・エコノミーと言われる時代の技術特性として、誰でも、どこでも情報ネットワーク技術（IT技術）を共有しうることを利して、先端技術に「蛙飛び」でキャッチアップしてくる。中国からの留学生が、「日本に来て二一世紀から二〇世紀に逆戻りした感じがある」と言った。「中国では紙幣というものを使ったことがなかったが、日本ではまだお札（現金）を使っている」という意味であった。

技能五輪国際大会九位という現実――日本の現場力の劣化

一つの現実を直視したい。二〇一七年一〇月、UAE（アラブ首長国連邦）のアブダビで行なわれた第四四回国際技能競技大会（技能五輪）でのことだ。かつて技能五輪は日本の「お家芸」たる技術力を示す舞台として注目され、我々は日本人の活躍を誇りに思っていた。二〇〇七年まで日本は金メダルの獲得数において一位、もしくは最上位を競う位置にいたが、一七年、ついに日本は九位にまで転落した。日本のメディアは、なぜかこの事実をほとんど報道しなかった。

日本の企業経営者にこのことを話題にすると、「もはや技能五輪の時代ではない」という反応が返ってきた。製造工程がコンピューターで制御される時代となり、熟練工など必要なくなったというのである。だがそれは違う。技能五輪の五一種目を直視すればわかることだが、そこには「ものづくり」だけではなく、フラワー装飾、美容／理容、ビューティセラピー、洋裁、洋菓子製造、西洋料理、レストランサービス、造園、看護／介護などの種目も並んでいる。いわば「現場力」を象徴する技能なのである。

かつてはこの技能五輪での日本人の活躍を見て、「中国や韓国が模倣や追随で成長しても、決して日本にはかなわない」と胸を張っていたものである。ところが、一七年の金メダル獲得数は、一位中国、二位スイス、三位韓国、日本は三個で九位となった。

とくに中国が獲得したメダルの内容に注目すれば、情報ネットワーク施工、メカトロニクス、CNCフライス盤、ポリメカニクス、機械製図CAD、CNC旋盤、ビジネス業務用ITソフトウェア・ソリューションズ、移動式ロボット、3Dデジタルゲームアートなど IT関連技術の分野が目立つ。

デジタル・エコノミーの時代といわれ、米国を基点とする、ITビッグ5と呼ばれるフェイスブック、アップル、グーグル、アマゾン、マイクロソフトの圧倒的支配力が際立つが、それに対抗しうる存在として、中国は、アリババやテンセントなどの巨大IT企業を生み出している。

ちなみに、米系ITビッグ5の株式時価総額(二〇一八年二月現在)総計は実に三・七兆ドル(約四〇〇兆円)となり、M&Aで次々とベンチャー企業を吸収合併、「デジタル専制」と言われるまでに膨張している。中国のアリババとテンセント二社の時価総額は一・一兆ドル(約一二〇兆円)、日本の誇る製造業企業たるトヨタ自動車の時価総額は二三兆円、日立製作所は四兆円にすぎない。

情報ネットワーク技術の特性は、装置産業の製造業技術とは違い、基盤技術の開放による技術の共有化が進むと、瞬く間に「誰でも、どこでも」利用可能なプラットフォームが形成され、まさに「蛙飛び」で後発者が先行者を凌駕する可能性が高まることだ。

最近では、アリババが「達摩院《ダモ》」といわれる研究開発センターに巨額投資をして、技術優位を目指していることに驚かされる。ITの分野では「米中二極対決の構図」になってきたのである。しかも、「データリズム」といわれ、データを支配する者がすべてを支配する潮流が形成される中で、中国は国家が優位にデータを支配しようとしており、デジタル・エコノミーが民主主義と逆行する危険もある。

習近平第二期政権の強権化――長期政権への布陣

二〇一二年一一月の中国共産党第一八回全国代表大会（共産党大会）において、胡錦濤政権の一〇年を経て、一九五三年生まれの習近平が中央委員会総書記に選ばれた時、中国革命（一九四九年）を知らない「革命第五世代」の指導者の登場に世界は衝撃を受けた。

未知数の習近平に関しては、さまざまな見方が交錯していた。その直後の一二月、私は『大中華圏――ネットワーク型世界観から中国の本質に迫る』（NHK出版、二〇一二年）を出版、その中で、習について「父親の習仲勲が副首相を務めた共産党の高級幹部であったことから、太子党のエース」とする見方に対して、「決して順風に生きた人物ではない」として、彼の「下放体験《かほう》」に注目した。一九六六年から約一〇年間の文化大革命といわれた時期に、父の失脚を受けて一六歳の習近平は六九年から約七年、陝西省《せんせい》に下放されるという体験をしている。都市部の若いエリートや知識人を「農村に学べ」として強制的に田舎に送り込んだのが下放だが、最も多感な時期の下放体験はこの人物を変え、その後の経歴や言動を見ても、「この男は泥臭い」という印象で、「『草の根主義』的な路線を見せてくる」と予想していた。

また、「中華民族の偉大な復興」という発言を繰り返していることに関し、この人物の持つ中国を束ねる統合理念が、それまでの「社会主義から改革開放へ」の単純継承ではなく、あえて「中華民族の栄光」を掲げた国家統合志向にあることを直感していた。

習近平政権の五年間は、私のそうした予想を裏切らなかった。内政的には「腐敗撲滅」にこだわりを見せ、粛清を権力基盤に掲げていき、外政的には「一帯一路」「アジアインフラ投資銀行（AIIB）構想」を掲げ、グローバル・ガバナンスへの野心を見せ、大中華圏の実体化へと踏み込んだ。一七年一〇月の第一九回共産党大会では、第一期の五年間を踏まえ、第二期の基本方針、最高指導部である政治局常務委員人事が明らかになってきた。

習近平は、毛沢東―鄧小平―江沢民―胡錦濤と連なる中国共産党指導部の第五世代だが、これまでは第二期政権に入る段階で後継者候補を政治局常務委員に登用してきた。今回も第六世代の後継候補として、習の側近といわれる重慶市党委員会書記の陳敏爾、広東省党委員会書記の胡春華の名が挙がっていたが、結局五〇歳台の第六世代は常務委員に選ばれなかった。これは習近平が長期政権を目指し、あえて後継候補を作らなかったということである。これまで共産党指導部は六八歳定年制を慣例としてきたが、習近平はこの慣例を超えて第三期政権を視野に動き始めたといえよう。

注目されたのが一五〇万人を粛清した反腐敗運動の中心人物で、政治局常務委員の王岐山の人事であった。慣例を超えて留任させるのではないかとの見方もあったが、王は退任となった。ところが、三月に予定されている全国人民代表大会（全人代）での国家副主席への登用というシナリオが浮上している。また、全人代では憲法を改正し、国家主席の任期の二期一〇年までという制限を廃止するといわれ、習近平の長期政権への布石を感じる。習は自らの名前を冠した思想を「行動指針」として党規約に明記するなど、個人崇拝色を濃くしている。「習近平の毛沢東化」といわれる所以《ゆえん》である。

経済成長と強勢外交

こうした習近平にとって、第二期政権での実績は不可欠である。実績をベースに余人をもって代えがたい指導者としての地位を確立しなければならないからである。一つは経済であり、第一期には「新常態」を目指すとして、民需主導型経済の実現を掲げていたが、政府固定資本形成（公共投資）主導に戻しても、何とか実質六％台後半の成長（一七年は六・八％成長）を実現させている意図もここにある。一七年一〇月の共産党大会での「基本方針」で、「新時代の中国の特色ある社会主義を目指す」として、「社会主義」にこだわった意図は、国家の統合力を前提とする市場経済を確立するという意思表示であろう。

もう一つの実績が強勢外交であり、大中華圏の実体化である。そのことは「中華民族の偉大な復興」を言い続ける心理に投影されている。もちろん、大きく掲げた一帯一路、AIIB構想を、どこまで具体化し、グローバル・ガバナンスへの中国の主導力を前進させうるかも注目点だが、重要なのは東アジアを束ねる実績であり、その意味で、香港、台湾、北朝鮮に対し中国がどう動くかが注目されるのである。

習政権の意図が映し出される鏡がまず香港であり、それが台湾・北朝鮮政策に微妙に繋がっている。一九九七年の香港返還から二〇年が経つが、返還時の一国二制度の原則は後退し、中国による政治介入、「民主化」消滅が顕著である。二〇一六年九月の立法会（議会）選挙において、中国からの独立や民主化を主張する香港民族党、本土民主前線からの立候補を認めず、それでも当選した民主派議員三〇人（議席総数七〇の三分の一超）のうち二人の「反中派議員」は公職資格剝奪と、あからさまな民主派弾圧に踏み込んでいる。また一四年に吹き荒れた民主化を求める「雨傘運動」を指導した学生団体の代表周永康ら三人への有罪判決など、香港への締め付けは加速している。

一八年九月に中国本土と結ぶ高速鉄道が開通する予定だが、一か所で香港と本土両方の通関手続き・検疫手続き・出入境管理をする「一地両検制度」の導入、つまり実体的な本土側法律の香港への適用へと向かう。この中国の香港抑圧は、台湾の人々の中国に対する警戒心をも刺激している。

台湾という鏡——統一への予兆

二〇一六年五月、国民党・馬英九政権(在任二〇〇八～一六年)から民進党・蔡英文政権への政権交代が起こった背景にも、馬英九政権が進めた対中融和路線の転換を求める国民意識の変化があったといえる。〇八年五月にスタートした馬英九政権は、本土中国との関係改善に大きく踏み込んだ。同年一二月には中台間の三通の実施(通信、通商、通航の直接開通)に合意、一〇年六月には実体的中台自由貿易協定ともいえる「経済協力枠組み協定」(ＥＣＦＡ)に調印、中国との経済交流は飛躍的に深まった。一五年一一月にはシンガポールで一九四九年の中台分裂後、初の首脳会談として習・馬会談が行なわれたが、「一つの中国」の原則を確認し合う中台蜜月の象徴的イベントであった。

馬英九政権下では、中国の高成長を支える形で台湾企業の資本と技術が中国に向かった。中国への直接投資の約七割は香港からで、世界からの投資が香港経由で中国に向かっているが、二〇一五年までは台湾からの直接投資が第三位を占めていた。だが、一六年には台湾からの本土への投資は急減、香港、シンガポール、韓国、米国に次いで第五位に後退した。

二〇一八年の新年を私は台北で迎え、台湾経済界のリーダーたちと議論する機会を得た。中国への緊張と苦渋に満ちた彼らの表情が印象に残った。馬政権下の中国との蜜月を背景に、累計九万件の事業案件が台湾から中国に進出しているが、そのうち二万件が台湾への引き揚げを希望しているという。しかし中国での事業の売却はうまくいかず、買い叩かれるか、売れたとしても「資金送金」は容易ではない。一七年九月、中国は仮想通貨を禁止したが、狙いの一つが「資金逃避の手段になる仮想通貨」という回路の遮断にあるといわれる。

また、中国は台湾が外交関係を持つ国に圧力をかけ、オセロゲームのようにひっくり返している。台湾が公式の外交を持つ国はすでに二〇か国にまで圧縮され、孤立が際立つ。外交関係を持つのも南太平洋の小島のような国のみである。

蔡英文が総統に就任した一六年五月から一七年四月までの一年間の台湾への中国人来訪者は二八七万人で、中台関係の冷却を反映し前年同期比で五割以上も減少した。一七年八月以降は戻りつつあるといわれるが、一七年通期でも前年比約一〇〇万人の減少、観光収入も約五〇〇億台湾元(約一九〇〇億円)減少したという。蔡政権の沈黙と台湾経済人の緊張の背景には米トランプ政権の豹変という要素もある。一六年の米大統領選当時、トランプはあたかも台湾独立を支持するかのごとき発言をしていた。ところが就任後中国の台湾政策を支持する方向へと路線変更、台湾の動揺と失望は深い。トランプなる人物の人生の基軸は「全てはＤＥＡＬ(取引)」であり、損得だけで判断してきた人物の危うさを見せつけられている。

今後の第二期習政権の締め付けによっては台湾からの資本逃避(キャピタル・フライト)という事態さえ加速されかねない。一七年秋の共産党大会での三時間半に及ぶ演説の中で、習近平は、異様なまでの力を込めて「台湾統一」に言及していた。

北朝鮮問題への影──中国が軍事介入する可能性

北朝鮮問題では、二〇一八年に入り、北朝鮮は突然平昌《ピョンチャン》五輪への参加を表明、南北融和のショーがことさらに演じられた。あたかも「朝鮮半島のことは外国勢力によってではなく、朝鮮民族が決める」というメッセージを南北朝鮮が共有しているかのごとき展開を見せた。ここで見抜かねばならないのは「外国勢力」とは米国だけではなく中国をも意味することである。

注視すべきは中朝関係の緊張である。すなわち一一年一二月の金正日の死去以降、後継問題をめぐり、長男の金正男を擁立しようとした張成沢（金正恩の叔父で後見人といわれた）と中国の謀略、そして一三年一二月の「国家転覆陰謀の罪」での張成沢処刑、さらに一七年二月の金正男暗殺という経緯の中で、中朝関係は冷え込み、核・ミサイル開発をエスカレートさせる金正恩に対し、中国は本気で国連制裁に協力する方向に踏み込んでいった。とくに、中国の金融制裁が北朝鮮を締め上げ、苦し紛れに融和的な韓国の文在寅政権に楔《くさび》を打ち込むように接近したのである。

中国の北朝鮮への圧力は凄まじく、このところ「米朝の軍事衝突の前に、中国が北朝鮮に軍事介入する可能性」や「米国から北朝鮮を守る同盟責任を果たすという建前で、金正恩をねじふせて軍事駐留して核・ミサイルを封印する可能性」といったシナリオが、国際情報として流れている。中国が主体的に朝鮮半島の制御に動くというシナリオであり、こうした情報が流れること自体が北朝鮮を凍り付かせているといえる。

習近平政権の危機感の背景には米トランプ政権の変質がある。一七年七月、ジョン・F・ケリー(元海兵隊大将)が首席補佐官に就任して以降、トランプ政権は制服組主導の軍事政権化し、米国の対北朝鮮戦争計画は重心を下げ、現実味を帯びてきた。もし米朝の軍事衝突となれば限定的攻撃だけでは済まず、体制転換、すなわち米主導の朝鮮半島の統一にもっていかれる可能性が高い。中国としてはこれを避けるべく主導的に朝鮮半島を制御する意思が浮上するのである。

中国は、平昌五輪をめぐる南北融和について表面的には歓迎している。自らが北朝鮮問題に責任を負わされる圧力から解放され、当面は韓国文政権に圧力が向かうという判断だが、水面下では米中協議が動いており、米朝軍事衝突のリスクが臨界点に迫れば習近平がどう動くかが重要になる。

日本人の覚悟と決意――戦後なる日本への自信と責任

中国の強大化と強権化の中で、日本の姿勢が問われている。

習近平、プーチン、トランプなどに突き上げられ、日本も「反知性主義」的衝動に駆り立てられかねない。ともすると、「力への誘惑」を覚え、国家主義、国権主義へと引き込まれる可能性が高い。我々は思考の回路を立て直す必要がある。「道に迷わば、木を伐りて年輪を見よ」という言葉を思い出したい。日本人として戦後民主主義を踏み固め、中国を冷静に認識しておきたい。

中国はうまくいっているのか。成長と強権化で覆い隠しているが社会的課題は根深い。一九七〇年前後、私が世田谷日中学院に通って中国語をかじっていたのは、日本が高度成長期を走っていた頃だが、文化大革命に違和感を覚えながらも、中国の実験ともいえる「農業と工業のバランスある開発」「人民に奉仕する裸足の医者」などの試みは米国流産業開発に邁進する日本との対照において興味深かった。

ところが改革開放の果てに到達した今日の中国は、強欲なウォールストリートも顔負けのマネーゲーマーの集積地であり、「人民に奉仕する」など程遠い「腐敗」国家と化した。一向に進まぬ民主化、年金制度など無きに等しい社会保障・福祉の未熟さ――、迫りくる高齢化社会に向け事態は深刻で、とても国民を幸福にしているとは思えない。米国に三〇万、日本に一〇万という中国からの留学生が帰国したがらない理由も理解できる。習近平が社会主義理念にこだわり、腐敗撲滅に躍起にならざるをえないのもこの文脈にある。

日本は成熟した民主国家たる自覚をもって、アジアの見本となる「国民を幸福にする社会」を探求すべきである。中国の強権化に触発される東アジアの激変は日本の試金石である。「アメリカ・ファースト」のトランプ政権に国民の運命を預託し、ひたすら中国封じ込めと北朝鮮への圧力を主張する偏狭さだけではアジアの共感と敬愛を受けて進むことはできない。

中国を凌駕する東アジアへの構想力が問われているのであり、日本の正統性の基軸は、「非核」に徹した平和主義と「国民主権」の民主主義を自ら体現していくことである。東南アジアの有識者と議論しても、「北朝鮮はブラック・スワン（マイナーな変数）だが、中国はブラック・エレファント(踏み潰す傲慢さ)」、「日本こそアジアにおける平和と民主主義のリーダー」であってほしいという期待が重く感じられる。

韓国大使、ベトナム大使を務め、外交官として日本のアジア外交に深い知見を有する小倉和夫は『日本のアジア外交――二千年の系譜』(藤原書店、二〇一三年)において、歴史における五回の「日中戦争」(唐との白村江の戦い、元寇、秀吉の朝鮮侵攻と明との戦い、日清戦争、一九三〇年代の日中戦争)の背景を分析し、それを貫く教訓として、「いずれの戦争も、その始まりは、朝鮮半島における勢力争い」であると指摘し、「よって、日中間で(政府間ではなく、いわゆる第三トラックのような形で)朝鮮半島の未来の有り得べき姿について、……対話を深め、広げるべき」と言及している。もっともな論点である。だが現在の日本外交には朝鮮半島の未来についての構想力は見えない。ただ北朝鮮の危険性を訴え、圧力強化を主張するのみである。日本が掲げる松明《たいまつ》は、一次元高いものでなければならない。

(二〇一八年四月号)

2　一九六八年再考――トランプも「一九六八野郎」だった

パリ五月革命の五〇周年にあたる二〇一八年の五月二四日夕刻、恵比寿の日仏会館ホールで、「六八年五月革命記念(フランス音楽の夕べ)」として、歌手加藤登紀子のトーク&ライブが行なわれ、小生もトークの相手として登壇した。東大生だった時にシャンソン・コンクールで優勝し、その副賞として一九六五年に最初にパリを訪れたという加藤は、『中国女』(一九六七年)などの作品で有名な映画監督のJ=L・ゴダールが六八年のカンヌ国際映画祭に乗り込んで、既存の商業作品を全否定する勢いで映画祭を中止に追い込み、五月革命に共鳴する情熱的活動を繰り広げたことを語った。そして日本でも公開される映画『グッバイ・ゴダール!』が、恋人だった女優の目から見たゴダール像を「戯画化」して描いた作品であり、二〇一八年のカンヌ映画祭でスペシャル・パルムドールを獲得したことなど興味深い話を紹介していた。

静かに距離を置き、余裕の微笑みで振り返りながらも、フランスの文化人は一九六八年を忘れてはいないのだと思う。加藤も「一九六八年の精神」にこだわっている。『さくらんぼの実る頃』『美しき五月のパリ』を歌い続ける姿にそれを強く感じる。スチューデント・パワーが世界で荒れ狂った一九六八年とは何だったのか、五〇年目のいま、あらためて考察しておきたい。

一九六八年とは何だったのか

第二次世界大戦が終わって二〇年以上が経過した一九六〇年代後半、世界は東西冷戦の真っ只中であったが、その軋《きし》みが見え始めた。そして臨界点に至ったのが一九六八年であったといえよう。資本主義対社会主義、世界を二極に分断して覇権を競い合っていた東西二極の指導国が色褪せ始めていた。

西側のチャンピオンたる米国は、一九六三年一一月のケネディ大統領暗殺によって陰りをみせ、泥沼化するベトナム戦争と北爆の開始(六五年二月)、そして六八年四月のキング牧師の暗殺と黒人差別に抗議する「貧者の大行進」による六月のワシントンでの一〇万人集会、同じ六月にロバート・ケネディ上院議員もロサンゼルスで暗殺され、世界の若者は米国の闇の深さに暗澹たる思いを深めた。民主主義を理念として掲げ、自由主義陣営を率いる米国は、「ベトナム」と「人種差別」によって光を失っていった。異議を唱える運動の先頭に立ったのは学生であった。

一方、東側といわれた社会主義陣営の総本山たるソ連も、六八年八月、「プラハの春」といわれたチェコスロバキアの自由化路線に対し戦車によって介入し、東側の「鉄のカーテン」の現実は、社会主義に一縷《いちる》の希望を抱いていた若者を落胆させ、失望が「新左翼」の活動を誘発していった。

こうした冷戦の新局面を背景に、フランスでは「パリ五月革命」が勃発した。そもそもの発火点は同年三月、パリ大学ナンテール分校で、学制改革や男女寄宿舎相互訪問の自由などをめぐり、学生が占拠闘争を開始したものであったが、五月にはカルチェラタンを要塞化して警官隊と衝突、労働組合も呼応してゼネストに入り、四〇万人が反ドゴール・デモに参加し、「もはやデモや騒動ではなく反乱」と報じられる事態を迎えた。

決起した若者の心象風景に、ほぼ一〇〇年前にあたる一八七一年のパリ・コミューンがあったことは間違いない。先述のゴダールも、それまでの自分の映画作品を否定してまでパリ五月革命に共鳴し、連帯した。東西二極のリーダーたる米国、ソ連に失望した若者の眼差しの先に第三世界への幻想が浮上していた。未知数だった中国への関心、毛沢東語録の「造反有理」への共感が若者の共同幻想となった。

一九六六年から十数年続いた文化大革命は不気味ではあったが、「絶対に階級闘争を忘れてはならない」という一九六二年の毛沢東の指示は木霊《こだま》のように響いていた。また、帝国主義と闘う中南米の星、キューバのカストロやゲバラへの憧憬が若者たちを突き動かしていた。

今日のようなネットの時代とは違い、確かめようもない不思議な情報が拡がっていた。日本で一九六九年に流行した、新谷のり子による『フランシーヌの場合』という歌がある。「三月三十日の日曜日　パリの朝に燃えたいのちひとつ　フランシーヌ」という歌詞が耳に残る。「ベトナム戦争とビアフラ（ナイジェリア）の飢餓問題に抗議して焼身自殺した」とされるフランシーヌ・ルコントなる女性（当時三〇歳）をモデルとする歌だが、何故かあの時代の若者の心情に響いた。

遠く離れた「海を越えた他国の不条理」にフランスの若者が怒っていることが重く響いた。

日本の暑い季節——日大闘争と東大紛争

日本の一九六八年も熱い特別な季節だった。一九六四年の東京オリンピックを成功させ、「復興から成長への自信」が定着し始めていた。多くの国民にとって実感はなかったが、GNPは世界二位へと躍進し、一九六六年からは「3Cブーム」(カラーテレビ、カー、クーラーなどへの消費爆発)といわれ、大衆消費社会が現実のものになっていた。成長の恩恵がサラリーマン層にも浸透して、「労働者階級意識」は希薄化した。六〇年安保闘争の挫折感も深く、労働者の意識は「闘争よりも生活へ」と向かい始めていた。こうした状況への苛立ちと旧左翼への失望が学生たちを突き動かした。それが学園紛争の背景であった。

一つの焦点が日大闘争であった。六八年四月、国税庁から指摘された日本大学の使途不明金二〇億円をめぐる問題への責任追及と、学園民主化を求める経済学部の学生の行動が全学共闘会議(全共闘、秋田明大議長)を結成し、全学の無期限封鎖に発展、翌六九年二月の機動隊導入で解除されるまで、「神田カルチェラタン」といわれるほど都心の市街地での騒乱が続いた。

実は、この日大闘争が五〇年後の二〇一八年、「日大アメフト部の悪質タックル問題」の伏線にもなっている。闘争時、大学当局と手を組んで全共闘運動に攻撃を仕掛けた体育会系学生を、日大は職員として雇用し優遇した。それらの人物が今日の理事会の中枢を占めるに至ったことが、現在も日大の経営を呪縛しているという。

もう一つの舞台が東大紛争であった。六八年一月に起こった東京大学医学部学生の「登録医制度」反対運動から火がつき、六月には反日共系学生組織による安田講堂占拠、七月には東大全共闘の組織化(山本義隆議長)、翌六九年一月には八五〇〇人の機動隊員との安田講堂攻防戦に至り、この年の入試は中止となった。

結局、日大紛争も東大紛争も学生だけの運動にとどまり、市民や労働者の運動と連携することもなかった。権力によって抑圧される中で運動は孤立し、追い詰められる中で「ゲバルト化」「セクト化」し、血なまぐさい内ゲバ、無差別爆破、ハイジャック事件などを起こしていった。六五年には小田実《まこと》のべ平連(「ベトナムに平和を!市民連合」)が設立され、市民レベルの運動に真摯に向き合う人たちもいたが、大きな広がりを見せることはなかった。

それでも一九六八年は、世界中の若者が時代への感受性を刺激され、悩み、それぞれの思いで行動した。「若者の不条理への怒り」が、重層的なうねりとなって共鳴し合った瞬間だったのである。

トランプも「一九六八野郎」だった

あの時何をしていたか、どう生きたかは、あの時代を生きた青年にとってきわめて重いポイントである。

ドナルド・トランプ、現在の米国大統領も実はあの時代を同世代人として生きた「一九六八野郎」であった。彼は一九四六年六月一四日生まれ、七二歳（二〇一八年当時）、一九六八年には二二歳の青年であった。マイケル・クラニッシュ他とワシントン・ポスト取材班による『トランプ』（文藝春秋、二〇一六年、原著"Trump Revealed," 2016）やトランプ自身の『トランプ自伝――アメリカを変える男』（早川書房、一九八八年、原著"Trump: The Art of the Deal," 1987）を基に、あの「一九六八」に、いまこの世界をかき回している男は何をしていたのか確認しておきたい。

トランプは、一九五九年にニューヨーク・ミリタリー・アカデミーに入学した。その頃から「おれは有名になる」と豪語していたというが、一九六六年秋に入学したペンシルバニア大学のウォートン・ビジネススクールでは、「美人を連れて歩くのが好きな奴」という印象を多くのクラスメートに残している。一九六八年は、ペンシルバニア大学でも「ベトナム反戦運動」が吹き荒れたが、ウォートンの二年目であったトランプは、そうした社会的・政治的動きには一切の関心を示さず、ひたすら「金もうけと女性」に専心していた青年トランプの姿が浮かび上がるのである。

ウォートン・ビジネススクール時代について、トランプは「私は連邦住宅局の抵当流れ物件のリストに読みふけっていた」（『トランプ自伝』）と語り、さらに、父親と組んでオハイオ州シンシナティの古びた住宅団地を最小限の付け値で落札、家賃滞納の入居者を追い出し、その管理運営で一儲けしたことを自慢げに語っている。自分を「シンシナティ・キッド」と呼んで、卒業時には二〇万ドルの財産を持っていたと胸を張るが、一九六八年という時代に世界の若者が「社会変革」に血をたぎらせていたことなど関心の対象外で、一切言及はない。

この時代を生きた米国の世代に関して気になるのは、ベトナム戦争との関わりである。トランプの徴兵検査に関しては疑問が残る。彼は、一九六八年のウォートン卒業時の検査では「兵役適格」の「1-A評価」だったが、一九六八年秋には「国家の緊急時を除いて、医学的に不適格」を意味する「1-Y評価」となり、七二年の再検査では「兵役不適格」を意味する「4-F評価」に引き下げられている。

七〇歳を過ぎても盤石の健康を誇示する人物としては不可解なことだが、両足の踵《かかと》に「骨棘《こっきょく》」(骨膜の内側からできるトゲ)ができたためと説明されているが、巧みに兵役を避けようとした意図が隠されているように思われる。「医学的に不適格」として兵役を回避する自分本位の男、時代に正対もすることなく、青年期を自分自身のためだけに生きた男というのが、若きトランプの実像といえる。

トランプは自分は取引(DEAL)の達人であるとして、その極意を次のように語ってみせる。「取引で禁物なのは、何が何でもこれを成功させたいという素振りを見せることだ。……一番望ましいのは優位に立って取引することだ。この優位性を私はレバレッジ(テコの力)と呼ぶ」(『トランプ自伝』)――、この自己陶酔型の人物の視界には、目指すべき理念、自分の生き方に疑問を抱く力、問題を深く考察する知的葛藤が皆無である。それが、世界の不幸をもたらしていることに気付く。

トランプの「一九六八」には、ベトナムや黒人運動への問題意識は存在しない。社会的問題意識がすっぽり抜け落ち、もっぱら個人的欲望に邁進する姿が印象に残る。

その対照として思い出されるのが映画『七月四日に生まれて』である。オリバー・ストーン監督による実話に基づく一九八九年の作品で、トム・クルーズが傷ついたニューヨーク出身のベトナム帰還兵を熱演していた。「自由と民主主義を守る」という理念に駆り立てられてベトナムの戦場に立ち、障碍者となって故国に還った兵士への冷たい眼差しに苦悩する若者が描かれていた。まさにこの主役の青年と同世代がトランプなのである。国の掲げる価値を真摯に信じてベトナムに行った青年は死傷し、背を向けて「女とカネ」に執着していた男が大統領になる。こんな理不尽があっていいのであろうか。だが、それが現実なのである。

日本の「一九六八」世代として――自分自身への問いかけ

私自身、一九六八年は早稲田大学政経学部の二年生だった。全国の政治好き人間の集積地である「早稲田の政経」は、革マル派、日本民主青年同盟(民青)、日本社会主義青年同盟(社青同)など左翼セクトが入り乱れており、そこにノンセクトの全共闘運動が吹き荒れ、翌年にかけて「学園封鎖」が続いていた。

私は、左翼運動黄金時代のキャンパスにおいては「右翼秩序派」と括られながらも、「一般学生」を束ねて、大学改革を迫る活動に主導的に関わっていた。学生集会を繰り返し開催して、全共闘運動と正面から対峙した。機動隊導入で「学園正常化」した時、二〇〇〇人超の支持者で盛り上がっていた我々の運動は急速に萎え、四年生は就職を決めてさっさとキャンパスを去り、最後のティーチイン集会にはわずか六人が集まった。

少しは本気で勉強しようと大学院に進み、焼け野原に立つ思いで同人誌に書いたのが、一九七一年の論稿「政治的想像力から政治的構想力へ」であった。この論稿は、のちにPHP新書『われら戦後世代の「坂の上の雲」――ある団塊人の思考の軌跡』(PHP研究所、二〇〇六年)に収録されるが、私自身の一九六八年の総括でもあった。生硬で気恥ずかしい原稿ではあるが、二三歳の私自身の「一九六八」への思いが凝縮されている。

私は「全共闘運動」を政治的な運動というより、非政治的人間の未熟な疑似政治運動であることを直感していた。「大衆社会化の進行がもたらした量化のメカニズムの中で無意識のうちに失われてゆく人間的価値を防衛しようとする敏感さこそ全共闘運動の本質であった」と、その論稿に書いている。

全共闘運動は、当時の共産党が指導していた「民青」、社会党が指導していた「社青同」などの大人が指導する既成左翼とは一線を画し、政治的計算や打算もなく、ある意味純粋な時代状況への拒絶反応だったといえる。それゆえに政治運動としては「未熟」であり、自己陶酔的であった。若干早熟だった私は、セクト抗争に終始する学生運動に失望し、「政治的想像力から政治的構想力へ」というタイトルに凝縮されるごとく、問題を提起するだけの想像力ばかりでなく、解決方向の模索とそのための条件の探求において、責任ある構想力が必要なことを語り、「自らの足場を固め、時代を克服する構想に挑戦するかぎり、けっして『挫折』することはない」と論稿を結んでいる。あの時点での精一杯の「虚勢」だったのかもしれない。

工業生産力モデルの優等生から高齢化社会の中核へ

一九七〇年代から就職を決めて社会参加し始めたこの世代の多くは、高度成長を支える企業戦士として生きた。工業生産力モデルの優等生としての道をひた走った戦後日本産業の現場に立ち、鉄鋼、自動車、エレクトロニクス、化学品などの外貨を稼ぐ産業を支えた。一九六六年、東京オリンピックの二年後、一〇〇〇ドルを超した日本の一人当たりGDPは、一九八一年に一万ドルを超した。七三年、七九年の二度の石油危機を経て、日本は、一九八〇年代末の「バブル期」へと突き進んでいく。

全共闘運動に身を投じた連中の多くは、「表面は赤(左翼)がかっていても一皮むけば真っ白だ」という意味での「真っ赤なリンゴ」とからかわれながらも、企業社会の現場で必死に役割を果たした。日本企業の海外進出がピークだった一九九〇年前後、多くのサラリーマンが海外に赴任し、同行した子どもたちに「帰国子女」という言葉が使われたのもこの頃であった。

二一世紀に入って、「一九六八野郎」の世代も順次、高齢者となり、日本の人口の三割に迫る高齢者人口の中核となった。二〇五〇年には高齢者が人口の四割、有権者人口の五割、有効投票の六割を占める時代に向かう。「高齢者の、高齢者による、高齢者のための政治」になりかねない状況を見つめて、戦後民主主義を踏み固め、次にいかなる日本を目指すのかを模索したのが、岩波新書『シルバー・デモクラシー』(二〇一七年)であった。また、「一〇〇歳人生」といわれる長寿社会が決してめでたいことばかりではなく、「定年退職後四〇年生きなければならない時代」であり、これらの高齢者を健全な形で社会参画させるシステムを模索する「ジェロントロジー」(高齢化社会工学)の必要性を提起したのが、「ジェロントロジーの新たな地平」(『世界』二〇一八年六月号)であった。

二〇一八年という節目と、問われる「一九六八」の精神

五〇年前の「一九六八」を見つめ、五〇年後を視界に入れながら、自らの立ち位置を議論してきた。人は自分が生きた時代と向き合い、時代によって錬磨される。そしていかに真摯に時代と向き合ったかが人生の意味を変える。各国の指導者の年齢はトランプ七二歳、プーチン六五歳、習近平六五歳、メイ六一歳、メルケル六四歳、マクロン四〇歳、安倍晋三は六三歳である。

トランプの出自と本質を論じたが、トランプ現象に揺さぶられる世界を再考する時、「奇怪な指導者が唐突に登場した」のではなく、アメリカ・ファーストに呼応する疲弊した米国に気付く。ケネディ大統領が高らかに語った「アメリカの世紀」「アメリカの国際責任」の起源は、映画・

雑誌・テレビ会社「タイム・ワーナー」の創始者ヘンリー・ルースが、第一次世界大戦を境に英国に代わり世界のリーダーになった米国の使命感を語った、一九四一年二月一七日の『ライフ』誌に掲載された「アメリカの世紀」という論文である。その誇りも余裕もかなぐり捨てざるをえない状況に米国が追い込まれているのが現状なのである。

世界の指導者の原体験らしきものを探るならば、習近平は一六歳だった一九六九年から七年間、文化大革命期を背景に陝西省に農村下放の辛酸を舐めている。プーチンは、三九歳の時にソ連崩壊の衝撃を受けとめている。

対して、現代日本の政治指導者の多くには、親の地盤・看板なしには政治家にさえならなかったと思われる「弱さ」を感じる。世代的にも「遅れてきた青年たち」で、政治の季節が終わった「ゲバ棒もヘルメットも立て看板もないキャンパス」で「同好会世代」として過ごした甘さ。これは日本の弛緩と無縁ではない。社会の構造的問題と格闘したことのない人間は、私生活主義に埋没し、簡単に国家主義、国権主義を引き寄せてしまう。

かかる状況下であるからこそ、日本の「一九六八」世代が失ってはならないものがある。「一九六八」を若気の至りの思い出話にしてはならない。少なくとも五〇年を総括し、歴史の歯車を前に進める役割に気付き、戦後民主主義と平和と安定の恩恵を受けてきた世代として、国権主義と戦争を拒否するエネルギーを持続させねばならない。「一九六八」から五〇年経ち、歴史は進歩しているとはいえず、トランプやプーチンのごとく、自国利害中心主義に立つ指導者が登場し、共産主義中国の指導者たる習近平に、グローバル秩序の重要性を語られるというパラドックスの中にある。

確かに歴史は一直線には進まないが、長い視座で考えれば条理の側に動く。この五〇年、冷戦が終わりイデオロギー対立は終焉を迎えたが、イデオロギーの後退は宗教と民族への回帰を生んだ。底流では米国流の「金融資本主義」と「デジタル専制」（巨大化したＩＴ企業によるデータリズム）が世界に浸透し、新しい「格差と貧困」を増幅させている。世界はこれらを制御する新しいルールを見出せずに各々の主張に立ち尽くしている。

だが、新たな地平も見え始めていると感じる。国家主義でも階級主義でも人種主義でもなく、国境を越えた新たなルールを模索する議論が芽生えている。こうした問題意識を開花させるエンジンは、「歴史の鏡を磨く」ことからしか生まれない。私も「持続する志」を持ち、この課題に挑戦したい。

（二〇一八年八月号）

3　二〇一八年秋の不吉な予感——臨界点に迫るリスクと日本の劣化

時代の空気について、八月末、ロンドンから羽田へと向かう機内で、頭をよぎった思いがある。あの時も欧州からの帰国便であった。

二一世紀が始まった二〇〇一年九月、欧州で面談した識者との話を総括しながら、私は不吉な予感に襲われた。ソ連崩壊から一〇年、「冷戦後の米国の一極支配」といわれ、ブッシュ政権は「米国は例外だ。世界のルールで縛るな」という例外主義を色濃くし、国際刑事裁判所への不参加や国連による小型核兵器制限への拒否など、冷戦の勝利者として尊大な空気を放っていた。ソ連崩壊後のロシアは混迷、前年の沖縄サミットに登場したプーチンだったが、その存在感は小さかった。欧州の外交関係者は米国の横暴に首をすくめていた。ニューヨーク、ワシントンを襲った9・11同時多発テロが起こったのは、私が成田から自宅に帰り着いた直後だった。

そして二〇〇八年、洞爺湖サミットの年の八月末、ニューヨークの原油先物価格(WTI)は、一バーレル＝一四五ドルにまで高騰していた。9・11以降のイラク戦争を経た中東情勢の不安定化と、二一世紀初頭の世界景気の拡大基調を背景に、原油価格は9・11直前の二八ドルから五倍以上も跳ね上がっていた。それが、翌九月一五日に始まったリーマンショックを受け、一二月には三〇ドル台にまで下落した。あの夏も根拠なき熱狂に酔い痴れるマネーゲーマーの表情に不吉な予感を感じたが、あれから一〇年、世界は「正気」を取り戻すどころか、「狂気」を増幅させているようである。

二〇一八年夏の世界の構造変化

二〇一七年からの世界経済は、不思議な同時好況の中にある。国際通貨基金(IMF)が七月に発表した世界経済見通しでは、二〇一八年の世界全体の実質成長率は三・九%と、前年の三・七%を上回る堅調を予測しており、しかもマイナス成長ゾーンがない同時好況加速という展望を示している。ただし、IMFは直後の追加報告において、「もし、米中貿易戦争がエスカレートするなどのリスクが顕在化すれば、二〇一八年の世界経済は〇・五%程度下振れする可能性もある」という見方を示し、リスク要素をめぐり微妙な状況にあるといえる(資料1)。

国際金融協会(IIF)の報告によれば、二〇一八年三月末の世界の債務残高(政府、企業、家計、金融機関)は二四七兆ドル(約二・八京円)とされ、世界GDPの三・九倍に当たる。一〇年前は二・九倍であり、借金漬けの好況ともいえる。

また、世界の金融資産規模(株・債券総額と金融機関貸出残高)は三三〇兆ドルを上回り、リーマンショック以降の金融緩和を受けて、ジャブジャブになった資金が、株価と借金(債務)を増幅させている構造が見てとれる。金融資本主義が誘いかけるメッセージは、「借金してでも消費と投

〔資料1〕 IMF 世界経済の見通し

（実質 GDP 成長率・2018 年 7 月発表）

	2015 年	'16 年	'17 年	'18 年（予測）
世　界	3.5%	3.2	3.7	3.9
先進国				
米　国	2.9	1.5	2.3	2.9
ユーロ圏	2.1	1.8	2.4	2.2
イギリス	2.3	1.8	1.7	1.4
日　本	1.4	1.0	1.7	1.0
BRICs・新興国				
ブラジル	▲3.6	▲3.5	1.0	1.8
ロシア	▲2.5	▲0.2	1.5	1.7
インド	8.2	7.1	6.7	7.3
中　国	6.9	6.7	6.9	6.6
ASEAN 5	4.9	4.9	5.3	5.3

注）ASEAN 5：タイ，ベトナム，インドネシア，マレーシア，フィリピン
　▲：マイナス
出所）IMF, World Economic Outlook

資を増やし、景気を拡大する」というものである。ウォールストリートの懲りない人々が主導する金融資産と負債の肥大化は、危機への臨界点に迫りつつある。

実体経済の動きを超えた過熱気味の指標を注視すべきである。ニューヨークの株価（ダウ平均）は、二〇一七年初から一年九か月で三三％（日経平均は二二％）も上昇している。ニューヨークの原油先物価格（WTI）は、一年前の二〇一七年夏に比べ、一バーレルにつき二〇ドル以上も上昇している。実体経済の拡大と比べ異様な数字である。

世界経済、とりわけ米国経済が堅調な理由は、トランプ政権の減税や産業政策が功を奏しているためではなく、

シリコンバレー（ＩＴ企業）が牽引しているというべきであろう。ＩｏＴ（インターネット・オブ・シングス）といわれるごとく、情報ネットワーク技術革命の成果が経済・産業のあらゆる局面に浸透し、効率と生産性を高めていることが米国経済の活性化において機能していることは間違いない。さらに、したたかなウォールストリートがトランプ政権に寄りつき、オバマ政権がリーマンショックを受けて「強欲なウォールストリートを縛る」として成立させた「金融規制改革法」（ドッド・フランク法）を改定させるなど、金融規制緩和の流れを形成して株高を誘導し、実体以上に景況感を高めているためともいえる。トランプ政権が、競争力を失った中西部の錆びついた産業を支持基盤として存立するパラドックスに苦笑を禁じえないのである。

地政学的リスクの顕在化①――中東における「先祖返り」

そうした中で、二〇一八年夏を振り返るならば、地政学的リスクが顕在化した夏であった。まず、火薬庫といわれる中東に投げ込んだトランプの火種を注視したい。トランプ政権は在イスラエル大使館のエルサレムへの移転を強行、増長したイスラエル・ネタニヤフ政権は「ユダヤ国民国家法」を制定し、人種差別主義によるパレスチナの切り捨てに踏み込んだ。また、トランプ政権はオバマ政権が実現した「イラン核合意」からも離脱、イラン制裁の強化へと向かい、さらにトルコのエルドアン政権との緊張を高め、トルコ通貨リラの価値を年初比四割も下落させるような制裁に踏み込んだ。

いま中東で進行している最も重要な基調は、イランとトルコという二つの地域パワーの台頭である。あえていえば「先祖返り」であり、一〇〇年前に、第一次世界大戦を経て、オスマン帝国が解体されて以降、欧州列強、そして米国と、大国の横暴に運命を左右されてきた中東が、地域パワーの再興という歴史潮流を迎えているといえる。シーア派イランの台頭に怯えるイスラエルとサウジアラビアが奇妙な接近を見せているのも、そうした動きへの反作用である。

そのイランとトルコに対決姿勢を強めているのがトランプ政権である。冷戦期、トルコはNATOの一翼を占め、ソ連封じ込めの前線に立ってきた。また、イスラム諸国会議機構のメンバーとして米国の中東戦略を微妙に支えてきた。極端にイスラエルとサウジアラビアに傾斜したトランプだが、中東政策に深慮遠謀の戦略があるわけではなく、すべては中間選挙に向け、米国の約三割を占めるエバンジェリカル（福音派プロテスタント）とユダヤ勢力を岩盤支持層として取り込むための戦術であり、中東に「不信」の火種を投げ込んだ愚かさの結末をやがて見ることになるであろう。二〇一七年、サウジアラビアなどと断交したカタールはイラン、トルコと急接近し、トルコの軍事基地がカタールにできるなど、湾岸産油国も一枚岩ではなくなった。中東情勢は液状化し、不安を加速させている。

地政学的リスクの顕在化②——中国の強権化

もう一つ、地政学を突き動かしているのが中国・習近平の強権化である。二〇一八年六月一二日にシンガポールで行なわれた米朝首脳会談の本質を見抜かねばならない。もっともらしい解説を超えて、一つの事実に着目すれば、筋道は見えてくる。それは「金正恩は中国の航空機でシンガポールに行った」という事実である。国際間の移動で、最高首脳が他国の航空機で移動することは、通常考えられない。生殺与奪権を与えることだからである。

二〇一八年に入ってからの北朝鮮の「南北融和」への豹変には、中国の脅威からの自立という意図があった。だが、結果は再び中国の鎖に繋がれ、「中国周辺国」に回帰したといえる。中国は、朝鮮半島の段階的非核化というシナリオを北朝鮮に共有させた。それは、北が非核化に一歩具体的行動をとれば、南の韓国における約三万人の在韓米軍が段階的に削減されるということで、中国にとって望ましい展開となり、仮に融和シナリオが破綻したとしても、北朝鮮を中国に頼らざるをえない状況に追い込んだといえる。九月一九日の南北首脳会談での「米国次第で核施設廃棄」という北の姿勢がそのことを示している。

本章1「中国の強大化・強権化を正視する日本の覚悟」で、習近平第二期政権の東アジアへの強勢外交を論じたが、その後の推移はそれを確認するものとなっている。

まず、香港だが、二〇一七年七月の香港返還二〇周年の前後から、香港の憲法たる基本法における「一国二制度」は有名無実と化した。二〇一四年秋の選挙制度改革をめぐる「雨傘運動」は民主派勢力の最後の燃焼となり、立法会(議会)の民主派議員の公職資格剝奪により、民主派は「抑圧」どころか、すでに「抹殺」されたといえる。

また、台湾については二〇一五年一一月、シンガポールでの習近平・馬英九会談（分裂後初の国共首脳会談）により「中台蜜月」を演じてみせたが、このところ習近平が見せる「台湾統一」への意思表示は一段とエスカレートしている。

馬英九政権下の台湾は「一九九二年コンセンサス」として「一つの中国の意味を双方が独自解釈できる」（「一中各表」）と解釈して「融和の利得」を優先させて大陸との接近を図ったが、その希望は打ち砕かれたといえる。二〇一六年五月にスタートした蔡英文政権だが、中国の締め上げに追い詰められつつある。一八年八月にはエルサルバドルが台湾と断交したが、これは中国の札束攻勢によるもので、もしバチカンとの関係を失えば、欧州において台湾と外交関係を持つ国はゼロとなる。

習近平政権は「中華民族の偉大な復興」を統合理念に掲げ、「社会主義」にこだわり（二〇一八年五月、カール・マルクス生誕二〇〇周年記念大会開催）、ユーラシアに一帯一路のネットワークを布陣しようとしている。六月に青島で行なわれた上海協力機構の第一八回大会には、インド、パキスタンも正式加盟し、イランのロウハニ大統領までがオブザーバーとして参加して「反保護主義」を採択するなど、米国を睨むユーラシアの連携軸になりつつある。

そして、プーチンのロシアであるが、二〇〇〇年に登場以来、一八年にわたりロシアを支配しており、二〇一四年のウクライナ危機後、G７（日本、米国、カナダ、ドイツ、フランス、英国、イタリア）の制裁を受けながらも、ユーラシアにおける存在感を高めた。一八年夏、四選を果たしたプーチンは、九月に入って極東・シベリア東部での三〇万人規模の軍事演習「ボストーク」を強行したが、中国・モンゴルからも三〇〇〇人規模の兵士が参加した。同時にNATOを対象にした大規模軍事演習をベラルーシで実施し、力を見せつけている。

「大ロシア主義」に回帰し、社会主義と決別して、統合理念に「ロシア正教大国」を掲げるプーチン、そのプーチンと二二回もの会談を重ね、北方四島返還を期待して接近を試みたのが安倍政権であった。その結末を見せられたのが、九月一二日のウラジオストクにおける国際会議「東方経済フォーラム」での突然の「年内、平和条約締結」というプーチンの発言であった。

その真意は何か。一九五六年の日ソ共同宣言に戻るということは、「平和条約締結後に歯舞・色丹二島返還」を意味し、実体的に国後島、択捉島のロシア領としての固定化を図り、領土問題を封印して日本の経済支援の取り込みを狙っているとしか思えない。したたかなプーチンがそこにいる。

デジタル専制への視界――日本低迷の構造

資料2を直視してもらいたい。ここに世界同時好況と日本産業の低迷の段差を解明する鍵がある。GAFA+Mとは、デジタル・エコノミーを牽引する米国の「ITビッグ5」といわれる五社で、グーグル、アップル、フェイスブック、アマゾン、マイクロソフトのことであり、その五社の株式の時価総額(一八年八月末)は四・三兆ドル(約四七八兆円)になる。対照的に、日本企業の

〔資料 2〕 Digital Dictatorship（デジタル専制）

デジタル・エコノミーの構造
（株式時価総額，2018 年 8 月末日時点）

米国 IT 5 社	中国 IT 2 社
GAFA＋M	テンセント アリババ
4.3 兆ドル **（約 478 兆円）**	**0.9 兆ドル** **（約 97 兆円）**

日本〔東証一部　上位 5 社〕

トヨタ自動車(株)	22.6 兆円
ソフトバンクグループ(株)	11.3 兆円
(株)NTT ドコモ	10.9 兆円
(株)三菱 UFJ F. G.	9.3 兆円
ソニー(株)	8.1 兆円
合　計	**62.2 兆円**

「第四次産業革命」＝「データリズム」の時代
（データを支配するものがすべてを支配）

注）GAFA：Google, Apple, Facebook, Amazon
M：Microsoft

株式時価総額のトップ5をみると、一位のトヨタ自動車でもわずか二二・六兆円、アップルやアマゾン一社の五分の一にすぎない。

ちなみに、経団連をリードする日立製作所の時価総額は三・五兆円、東レは一・四兆円、「鉄は国家なり」といわれた鉄鋼産業の中核たる新日鉄住金（現日本製鉄）は二・一兆円にすぎない。もちろん、株式時価総額は企業の実力を示す一指標にすぎないが、「市場が企業の価値を決める時代」といわれる現在、企業経営は時価総額を超すリスクはとれないし、プロジェクトも組成できない。ちなみに、オリエンタルランド（ディズニーランド）の時価総額四・三兆円、ファーストリテイリング（ユニクロ）のそれは五・五兆円であり、「モノづくり国家ニッポン」の地殻変動がここにある。

驚くべきことに、中国のIT二社、テンセントとアリババの時価総額が一兆ドルに迫り、わずか二社で日本のトップ一〇社を飲み込む額なのである。この米中のＩＴ七社のことを、「ニューセブンシスターズ」と呼ぶらしい。二〇世紀のセブンシスターズは石油メジャーのことであったが、二一世紀の世界を支配するニューセブンシスターズは「プラットフォーマーズ」と呼ばれ、情報ネットワーク技術の基盤インフラを押さえる企業群への呼称となっているのである。石油メジャー（現在はロイヤル・ダッチ・シェル、エクソンモービル、シェブロン、ＢＰの四社に収斂）の時価総額は一・四兆ドルで、ニューセブンシスターズの五・二兆ドルに圧倒されていることが分かる。

この事実認識の中からいくつかの論点が浮かび上がる。

一つは、「プラットフォーマーズ」といわれる七つのＩＴ企業の株式時価総額の肥大化が、技術優位性で生まれたものではなく、「ＩＴとＦＴの結婚」、つまり、金融による増幅という形で実現されたことである。ＩＴは平準化技術であり、「いつでも、どこでも、誰でも使える技術基盤」である。それを「データリズム」に立って囲い込むビジネスモデルを、ファンドが巨額の資金を投入することで成功させてきたといえる。「夢に金が付く時代」といわれるごとく、シリコンバレーのビジネスを見ていると、事業が成果を出す前にベンチャー・ファンド、ベンチャー・キャピタル、Ｍ＆Ａと金融事業が蠢《うごめ》き、成功案件は異様なカネを引き付けるのである。

二つは、こうした世界の動きに直面した日本産業界の屈折という論点である。かつて、戦後日本の経済界のリーダーには重みがあり、永野重雄（新日本製鐵会長）、土光敏夫（東芝会長）、石坂泰三（東芝社長）などの名前を思い起こしても、経済界を率いる矜持《きょうじ》と政治をしっかりと睨む眼光があった。だが、現在の日本経済界の指導者たちに、政府の経済産業政策に鋭く発言する気迫はほとんど見当たらない。前述のＩＴ巨大企業の株価に対する日本企業の劣勢にしても、実は公的資金を株式市場に投入して株価を水ぶくれさせた結果でもあるのだ。もし、この六年間、累計六五兆円の公的資金（日銀の株価指数連動型上場投資信託（ＥＴＦ）買い、年金積立金管理運用独立行政法人（ＧＰＩＦ）の資金運用）を投入しなければ、日経平均株価は現在より三割は低い水準にあると思われる。アベノミクスが健全な資本主義を歪める政策であることが分かっていても、経済界は筋道立った発言などできないのである。日本の劣化は政治と経済の相互作用から生じている。

日本の劣化——安倍政権で見失ったもの

夏も終わろうとする二〇一八年九月二〇日、安倍首相の自民党総裁三選が決まった。日本の政治に違和感を覚えながら見つめていた国民も多いはずだ。自民党員一〇四万人のうちの有効投票総数の五五％の支持で三選というのだから、有権者の一％にも満たない得票で国家の運命が支配されるということであり、「民主主義」の本質を再考させられる事態である。

「代議制民主主義のパラドックス」というべきか、この一〇年の日本の政治状況において、「決められない政治」への苛立ちの中から、政治主導への願望が高まった。それが「官邸主導」への流れを生み、公文書偽造や国会での偽証をしてまで官邸を守ろうとする忖度官僚を発生させ、国民が直接選出した大統領ではない「首相」に、国民が預託したものとは異なる過大な権力が集中し、気が付けば、日本の政治は「官邸レベルの政治」に押し込められることになった。

安倍政権の六年間を世界的視点で正視すれば、日本にとって「成功した六年間」とはいえない。何よりも、経済・産業を歪めてしまった。金融政策に、過剰に政治が介入し、異次元金融緩和と公的資金の投入で株価を引き上げることに固執、健全な市場経済を明らかに歪めてしまった。「景気が良くなった」というのは株価が高いことによる幻影であり、労働分配率は低下し、勤労者世帯可処分所得は一九九七年のピーク比で、年収ベース七六万円も低い（二〇一七年）。国民は潤っていないということである。

外交・安全保障についても、解釈改憲にまで踏み込んで「集団的自衛権を認める安保法制」によって米国との軍事的一体化を進めたが、トランプ政権の登場に揺さぶられ、とても相互信頼に基づく同盟関係とはいえない状況にある。米国の愚かな戦争に巻き込まれるリスクが増大しているともいえる。

また、米中貿易摩擦がエスカレートしているが、トランプ政権は日本に対しても容赦なく赤字解消を迫るであろう。この夏も、私自身、米国からのさまざまな知人の訪問を受けたが、「知日派」といわれる米国人の多くが防衛利権とカジノ事業に群がり、その受け皿として「知米派」の日本人が動いていることを印象付けられた。日米関係は腐臭を放ち始めている。

「資金提供」という日本の役回り

世界における日本の位置についての思いが込み上げる。このところ日本は「資金提供」を期待されるだけの存在になっている。「シュガー・ダディー」(甘やかし親父)として、懐をあてにされる日本という状況が際立っている。

先述のカジノと防衛利権に群がる米国の関係者、北朝鮮との国交正常化の先に見えてくるのは、北朝鮮の経済開発資金源として、日本から「戦後賠償」に近い形での数兆円の資金提供を期待する韓国、米国の本音、そして「日露平和条約」を急ぐプーチンが期待する日本からの極東経済開発資金などである。自らの主体的構想力を持たない国が押し付けられる役回りはカネを出すことだけ、という事態になっていることに気付くべきである。

このところ、国際金融の世界において、「ジャパン・リスク」が言われ始めている。異次元金融緩和を続ける日本からの資金還流が米国のドル高・株高を支えているのだが、いつまでも「出口」から出られないまま立ち後れている日本が、突然、資金を引き揚げざるをえなくなった時、世界金融が受ける打撃を気にし始めているのだ。奇妙な「リフレ経済学」に誘惑され、異次元金融緩和を「正常化」できずに迷走するマネーゲーム国家が、自家中毒を起こしていると考えられている。

一九六八年から五〇年の節目に

二〇一八年は「一九六八」から五〇年という節目でもある。一九六八年、パリの五月革命、米国のベトナム反戦・黒人運動、そして日本では日大・東大闘争、全共闘運動と世界中に若者の政治運動が吹き荒れた年であった。その意味については、本章2「一九六八年再考――トランプも『一九六八野郎』だった」において論じた。第二次世界大戦が終わって二十数年、東西冷戦をリードする米国とソ連、それぞれが抱える矛盾が露呈して色褪せ、世界の若者は、「第三世界」として、毛沢東、カストロ、ゲバラなどに幻想を抱いていた。

今日、世界を動くと、世界中の若者が、スマホを見つめ、うつむきがちに歩いている。社会主義も第三世界も希望ではなくなった。米国も欧州も自国利害中心のナショナリズムに回帰し、中国、ロシアなどの強権型の国家がうまくいっているようにみえる。複雑に屈折した状況を前にして、論理的思考を放棄し、検索エンジンと空虚な意思疎通に埋没して、デジタル・エコノミー時代を生きている。世界とつながる情報ネットワーク基盤が整った時代を生きながら、世界の課題とは隔絶した孤独な個が砂のように生きている。

経済といえば「株価」を語るだけのマネーゲーム国家に傾斜しつつある日本に、叡智を取り戻さねばならない。「技術志向の健全な資本主義」と「国権主義を排した民主主義」へのこだわり。誇り高く戦後なる日本を踏み固め直す時である。

（二〇一八年一一月号）

4　荒れる世界と常温社会・日本の断層──二〇一九年への覚悟

年の瀬のニューヨーク、ワシントンと米東海岸を動いた。あらためてタイムズ・スクエアに立ち、その変貌に驚いた。つい五年前まで、この広場を取り巻く広告の多くは日本企業で埋められていた。だが、今や日本企業の名前は全く消えてしまった。広場を北に向かって立つと、ブロードウェイと7番街が交差する三角帯の広告に目が行くが、中国の新華社通信と韓国のサムスン、ヒュンダイのサインが目立つ。そこには他に米国の金融のプルデンシャルと飲料のコカ・コーラの広告があり、まさに「時代」を象徴している。

日本企業の存在感が後退しているだけではない。東海岸での多くの面談を通じて得た印象では、日本を「トランプの都合のよい追随者」とするイメージが定着し、二〇一八年六月の米朝首脳会談に象徴されるごとく東アジアが世界の焦点だった年にもかかわらず、日本への関心と敬意が希薄化したといえる。米国が掲げてきた「市場主義と民主主義」を自ら否定してはばからないトランプ政権との過剰同調を重ねる日本は、「守るべき価値」を混乱させてしまった。

世界がポピュリズムへの誘惑と強権化した政治主導によって対立と分断を強める中、日本は内向と自己満足に沈潜している。この断層を直視し、二〇一九年をどう見るか思索を深めてみたい。

ロンドン・エコノミスト誌の「二〇一九年の展望」

ロンドン・エコノミスト誌の恒例の新年展望"THE WORLD IN 2019"が発刊された。二〇一七年版は、直前のトランプ当選という想定外の事態によって、発刊が一二月中旬にずれ込み、一二月上旬にロンドンで入手する予定だった私は、同誌の編集部に日本への送付を依頼して帰国した思い出がある。

同誌の新年展望は一九八七年から刊行されており、冷戦の終焉とその後の世界を展望する上で多くの示唆を得てきた。とくに、専門家や有識者の見解を適当に集めて特集するアプローチとは異なり、同誌の「インテリジェンス・ユニット」というシンクタンクの活動を踏まえ、世界を突き動かす優先事項を提示する資料として有効である。また、日本人の世界認識が「アメリカを通じてしか世界を見ない」という傾向を有する中で、欧州・ロンドンからの目線は重要である。

さて、想定外のトランプ当選を受けて出された「二〇一七年の展望」が提起した印象的キーワードが「プラネット・トランプ」であった。「プラネット」という言葉は「惑星」を意味するが、「トランプによって地球全体が惑わされる」という意味と、「迷走するトランプ」という意味を込めた表現であった。あれから二年、世界はこの一人の人物によって振り回され、惑わされつづけている。

さて、同誌「二〇一九年の展望」における編集長ダニエル・フランクリンの総括と優先テーマを集約するならば、「待ち構える経済の変調の中でのグローバルな政治リスクの高まり」といえる。つまり、世界同時好況といわれた二〇一七～一八年という局面が終わり、中間選挙を終えたトランプ、全国人民代表大会（全人代）を経て権力基盤を確立したかに見える習近平がともに危うさを内包しながら対立を深めている構図、そして、ブレグジット後の英国および欧州が抱える構造不安、さらに、デジタル・エコノミーの深化の中で、ＡＩが新たな局面を迎えていることなどにアクセントが置かれた展望となっている。

その中で、エコノミスト誌らしい展望と思われるのが、世界的な「多様性志向」の高まりの指摘である。ジェンダーにおけるセルフＩＤ尊重、〝スロー・ソーシャル〟志向（社会的多様性の許容）などが世界的潮流になることに注目しており、秩序や価値観が柔らかく再構築されねばならない深層底流を炙り出している。

日本についての展望といえば、消費税の増税が成長を抑える壁になることと、〝YES WE RYOKAN〟なるタイトルで、外国人観光客の取り込みに狂奔する日本を揶揄《やゆ》する記述があるだけで、世界秩序に主体的に関わる日本という見方はどこにもない。

顕在化した金融経済肥大化の危険

さて、「世界経済の変調」だが、変調なのか正常化なのか微妙である。ＩＭＦ統計ベースでは世界全体の実質成長率は二〇一六年からの三年間、三・四％、三・八％、三・六％と推移してきた。

二〇一九年についても、ＩＭＦは三・七％成長を見込んでいるが、経済協力開発機構（ＯＥＣＤ）は一一月の段階でこの数字が下振れして三・五％に減速するという見通しを発表している。おそらく、この見通しはさらに下振れすると思うが、それでも世界全体が三％成長というのは、歴史的に見ても高水準で、堅調ともいえるのである。

「変調」というのは、もっぱら株価の動向である。トランプ政権スタート直前の二〇一七年初のダウ平均一・九九万ドルから二〇一八年初の二・四八万ドルまで、二五％もの異常な株高が進行した。「強欲なウォールストリート」のしたたかさは驚くべきもので、大統領選挙ではヒラリー・クリントンを支援していたが、トランプ当選となると一変、「金融規制緩和」「企業減税」「インフラ投資」へとトランプをからめ捕り、「トランプ相場」を盛り上げていった。

二〇一八年に入って、米国の長期金利（一〇年物国債利回り）の三％台への上昇を受けた新興国リスク（米国への資金還流）や米中貿易戦争リスクなどにより、ダウは乱高下、年初を若干下回る水準で越年となりそうだが、そもそも「トランプ相場」が異常だったのであり、変調とは金融資本主義の飽くなき肥大化の行き詰まりと理解すべきである。

この実体経済を超えた金融経済肥大化がもたらす危険については、本章３「二〇一八年秋の不吉な予感――臨界点に迫るリスクと日本の劣化」において論及したが、年末にかけて鮮明に顕在化したといえよう。過剰なマネーゲームは必ず破綻し、実体経済を毀損するのだ。

トランプ・リスクの顕在化と世界情勢

一一月の中間選挙を経て、トランプ政権は第二段階を迎え、この政権のリスクも新たな局面に入った。上院は、五三対四七で共和党が多数を維持したものの、下院は一九九対二三四と共和党は過半数を失った。大統領を罷免する弾劾裁判には、上院の三分の二以上の同意が必要で、ハードルは高い。だが、一二月七日に検察当局から出されたトランプ陣営の顧問弁護士コーエンへの訴追報告は、二〇一六年大統領選挙でのロシアのトランプ陣営への関与を明示しており、「ロシア・ゲート疑惑」について訴追の現実性が高まってきた。首席補佐官だった軍人出身のジョン・F・ケリーも年末には政権を去り、一段と重心を失いつつある。

「トランプによる既存秩序の創造的破壊」に拍手を送っていた人たちも、政権の卑しさが国益を損なうことに気付き始めれば、上院の壁も揺らぐ可能性もある。ただし、トランプ弾劾成立となればペンス副大統領が昇格となり、福音派プロテスタントのシンボルといえるほど強硬な宗教右派のイデオロギーに染まった人物の登場を警戒する意見も聞かれ始めている。

後世に振り返るならば、トランプ政権とは「ホワイト・ナショナリズムの最後の徒花《あだばな》」とされるのかもしれない。二〇一六年大統領選挙の時点で、米国の人口構成において白人は五七・六％と、すでに六割を割った。マイノリティーの比重は四二・四％で、ヒスパニック一七・六％、黒人一三・三％、アジア系五・六％である。米国は間もなく白人の国ではなくなる。そのことへの焦燥が「白人貧困層」をトランプへと掻き立てたともいえる。

二〇一八年米中間選挙の結果に関し、いかにトランプが「勝利」を装っても、下院において民主党が過半数を制した事実は重い。この結果をもたらしたのは、投票率が四七％へと上昇したことであった。通常、中間選挙の投票率は四〇％程度で、それだけ多くの有権者が登録をして投票行動を起こしたことを意味する。このことが「多様化するアメリカ」を表出させ、マイノリティー、ムスリム、女性の候補者を多数当選させた。米国の場合、世論調査と選挙結果のギャップが大きい理由は、「登録しなければ投票できない」という制度の壁があり、マイノリティーの投票率の相対的な低さが、国民の声を投影できない政治の要因となってきた。その山が動いたのである。

トランプ当選を支えた白人貧困層の集積点とされた中西部の「ラスト・ベルト」（錆びついた工業地帯）のミシガン、ウィスコンシン、ペンシルバニアにカンザスを加えた四州の州知事選挙で民主党が勝利した理由も、トランプに危機感を高めたマイノリティーが投票行動を起こしたからに他ならない。米国の政治は確実に流動性を高めていくであろう。

トランプ現象に触発され、世界情勢も新たな局面を迎えた。

中国にとって「九」のつく年は激動を招く因縁の年らしい。一九一九年、ベルサイユでの山東利権をめぐり「抗日の五・四運動」が始まった。一九四九年には内戦を経て中華人民共和国が成立し、一九八九年には天安門事件が起こった。二〇一八年の全人代を経て一段と実権を掌握したかに見える習近平体制だが、強権化への長老たちの反発、対米摩擦を高めた政策手法への国民の不安もあり、政権基盤維持の正念場にあるといえる。国民の米国への怒りが体制批判に転じないように細心の政権運営を余儀なくされるであろう。

一二月に中国の通信インフラ・機器大手ファーウェイの幹部拘束という事態が起こり、米中摩擦が単なる貿易赤字問題ではなく、デジタル・エコノミー時代における情報技術覇権をめぐる緊張という性格を際立たせ始めている。「データリズム」(データを支配する者がすべてを支配する)と言われる時代において、中国がデジタル権威主義国家として力をつけることへの危機感がトランプ政権を突き動かしているといえる。

制御軸を失う世界

だが、こうした展開をもたらした経緯を冷ややかに振り返るならば、米国自身の責任は重い。この二〇年を振り返っても、一九九七年のアジア通貨危機、二〇〇八年のリーマンショックに際し、危機の深刻化回避のために、中国が投資と市場を拡大させて米国を支えたともいえる。米中蜜月で米金融資本主義延命の受け皿となったのも中国であった。

この間、IT革命といわれる時代に「シリコンバレー・ビジネスモデル」を学習し、中国版GAFAを育てた構図も「米中相互依存」の深化の中で推進されたといえる。

「米中新冷戦の時代」などと呼ぶ向きもあるが、日本としては慎重に事態を注視する必要がある。歴史の教訓に学ぶならば、米中はともに大国主義アプローチを好み、対立の極限で「手打ち」をし、米中二極でアジア太平洋を仕切るような合意形成をする傾向を内在させている。「日米で連携して中国の脅威を封じ込める」と思い込むのは短慮であり、米国自身がアジア秩序の中心を中国と認識していることを忘れてはならない。

多民族国家中国を束ねるには、求心力を持つ「統合理念」が要る。かつての「社会主義」だけでは束ねきれず、このところ「中華民族の偉大な復興」にこだわるのも、統合の危機を意識するからであろう。その危機感が強権化に拍車をかけ、近隣の東アジア、香港、台湾、北朝鮮、モンゴルにもグリップを強めている。その統合手段の一つの柱が「デジタル権威主義」というべきで、データによる国民支配だといえる。

中国だけではない。トランプの横紙破り的な自国利害へのこだわりに触発されるように、プーチンのロシア、エルドアンのトルコ、そしてイランを殺気立たせ、トランプが支援するサウジアラビア、イスラエルを増長させて緊張の火種を作り出している。欧州各国でも右派のリビジョニスト(修正主義者)を活気づけ、異様な緊張が高まりつつある。冷戦の終焉直後、「唯一の超大国」とまでいわれた米国が冷戦後の世界のマネジメントに失敗して、リーダーの正統性を失うことによって、世界は制御軸を失いつつある。

常温社会日本が直面するもの

戦後なる日本を考える時、一九四五年八月一五日、敗戦の日に経済学者の河上肇が詠んだ「大

いなる饅頭《まんじゅう》蒸して　ほほばりて　茶をのむ時も　やがて来るらむ」という歌を思い出す。日本の戦後はここから始まった。飽食の時代を迎えた日本においては、饅頭どころかさまざまなスイーツが溢れている。

戦後七三年が経ち、復興・成長という過程を経て、バブルの崩壊から四半世紀、二一世紀日本の社会状況を再考しておきたい。

日本の勤労者世帯可処分所得、つまり働く中間層が収入から税金、社会保険、年金拠出などを差し引かれた実際に使える所得は、一九九七年がピークで、二〇〇〇年の五六八万円で二一世紀を迎え、二〇一七年は五二一万円と、年間四七万円も減った。また、全世帯の消費支出も、二〇〇〇年の三八〇万円から二〇一七年の三四〇万円へと年間四〇万円も減少しており、二一世紀に入って日本人の貧困化が進んだことが確認できる。

また、二一世紀に入って、外国人来訪者は二〇〇〇年の四七五万人から二〇一七年の二八六九万人へと六倍以上に増えた。だが、日本人出国者は二〇〇〇年の一七八二万人から二〇一七年の一七八九万人へと横ばいのままである。「グローバル化」の掛け声とは裏腹に、日本人はグローバル化疲れとでもいうべき局面に入った。「内向の日本」なのである。

こうした現実を背景に、二一世紀に入り一七年間の日本人の意識の変化を各種調査の動きで確認するならば、博報堂の生活総合研究所が四半世紀にわたる「生活定点」調査の結果として示している「常温社会化」という表現が適切と思われる。「日本の行方は、現状のまま特に変化はない」と考える人が、二〇〇八年の三二％から一八年の五六％へと二四ポイントも上昇しているごとく、全般に「先より今」「期待より現実」「公より私」（イマ・ココ・ワタシ）という価値観が浸透している。内閣府の「国民生活に関する世論調査」（二〇一八年度）においても、「現在の生活に対する満足度」は七五％と一〇年前に比べ一四ポイントも上がっている。「不満はないが不安はある」というのが現在の日本人の心理なのだろう。

現代日本の社会心理は「不安を内在させた小さな幸福への沈潜」といえる。多くの人がうつむきがちにスマホを見つめ、休日には全国に三五〇〇を超したショッピング・モールに行って小さな幸福を享受するライフスタイル、常温社会へと引き寄せられている。

こうした状況は、ある意味では幸福な日本の断章かもしれない。だが、これこそがケジメと筋道を見失う日本の温床になっているともいえる。

たとえば、森友・加計《かけ》問題をめぐる当事者と忖度官僚の、国益を忘れたかのごとき無責任、政治主導の「異次元金融緩和」という呪縛から逃れきれず、健全な経済を見失いつつある経済政策、安保法制から米国の防衛装備品購入、沖縄問題まで、米国に過剰同調して日本の主体性を失いつつある外交安保政策の現状など、国民的議論がなされるべき課題にまで、不思議なまでの諦念と無関心が蔓延している。だが、迫りくる世界経済の変調とリスクの高まりは「常温社会への埋没」を許さないであろう。それが鮮明になるのが二〇一九年と思われる。

二〇一九年の試練——問われる二一世紀日本への構想力

静かに一九三〇年代を思い起こさねばならない。一九二九年に世界経済が大恐慌に陥り、経済基盤が不安を高めるにつれて台頭したのがファシズムであった。自国利害と民族主義は経済不安によって増幅され、力への誘惑、統合への意思が高まったのである。

論じてきたごとく、世界経済はここ数年続いた「同時好況」から「変調」という局面を迎えている。とくに、株価への根拠なき熱狂が、さまざまなリスク要素の顕在化に対して敏感に反応し始めている。二〇一九年、もし株価下落が触発する金融不安が起こるならば、日本も試練に晒されるであろう。常温社会に埋没する日本にとって、この試練に冷静に対応することは容易ではない。何よりも懸念されるのは、この国の指導者に時代を見据える構想力がないことである。

長期的・構造的視野に立って世界を認識し、課題を制御する新しい秩序形成をリードする構想、しかもその中で日本が果たす役割を強く自覚した構想が求められる。中国脅威論に怯えて「日米連携で中国の脅威を封じ込めよう」という次元での構想では、再び国権主義と偏狭なナショナリズムの誘惑に吸い込まれていくであろう。常温社会がどんなに快適であっても、結局は国民を不幸にする時代を招来することになりかねない。予想される激流の中で、民主主義を守る連帯が必要なことに、日本人が自覚を高めうるのか、それが試される局面を迎えている。

二一世紀が「アジアの世紀」になることは間違いない。現在、世界GDPに占めるアジアの比重は約三分の一だが、二〇五〇年までには五割を超し、今世紀末には三分の二を超すと予想される。この潮流に、技術をもった先進国として協力・支援すること、とりわけ、アジアの相互メリットになる連携を実現することこそ日本への役割期待であろう。

また、核抑止力という固定観念に国の運命を預託するのではなく、国連の核兵器禁止条約に参加して先頭に立ち、アジア非核化構想を速やかに実現すべきであろう。それこそが、二一世紀の世界史における日本の役割である。

（二〇一九年二月号）

第3章　現代日本の宗教への視座

1　江戸期の仏教への再考察

江戸幕藩体制三〇〇年において、仏教は形骸化し、堕落したとみるのが、日本仏教史の定説（辻善之助『日本仏教史』など）であった。確かに、本山が末寺までを統括する「本末制度」、さらに寺院が村落の檀家を束ねる「寺檀制度」によって国家権力の統治機構に組み込まれることで、仏教教理の原点が見失われ、形式化が進んだことも否定できない。仏教は衆生救済の宗教というよりも民衆統治の機構の一部になったともいえる。幕府は一六三五年に寺社奉行を配し、一六六五年には「諸宗寺院法度」を出し、寺院統制に踏み込んだ。

幕府による仏教統制はキリシタン禁制との相関で強化されていった。すでに豊臣秀吉の時代から「伴天連《ばてれん》追放令」(一五八七年)が出されていたが、本格的に徹底されたのは、江戸幕府によって一六一二(慶長一七)年に「伴天連門徒御制禁也」という禁教令がだされ、「宗門改《しゅうもんあらため》」が制度的に強制されたことによる。全国的に寺院単位で「寺請《てらうけ》制度」による住民の統制がなされ、これが実体的に戸籍管理の制度化となった。島原の乱(一六三七〜三八年)を経てキリシタン禁制が強化され、それは仏教統制を通じて展開された。

徳川家と仏教——浄土宗と天台宗

本来、徳川家は浄土宗の檀家であった。三河岡崎の領主であった時代から岡崎の大樹寺《だいじゅじ》が菩提寺だった。そのため同じ浄土宗の芝・増上寺が江戸における徳川の菩提寺となった。ところが、家康が天台宗の僧侶天海(一五三六頃〜一六四三年)を重用し、しかもその天海が当時としては驚きの一〇七歳の長寿を全うしたことが、三代将軍家光までの徳川幕府初期の宗教政策に大きく影響した。天海により一六二五年に開山された天台宗の上野・寛永寺が重きをなすようになった。一六一六年の家康の死後は天海の「神仏習合神道」に基づき、家康を神格化して「東照大権現」として日光に祀り、天海が住職を務める天台宗の輪王寺がこれを取り仕切った。三代家光は日光に祀り、四代家綱、五代綱吉は寛永寺に葬られたが、以後増上寺と寛永寺が半数ずつ、歴代将軍の菩提寺となった。幕府は朝廷に皇子の「東下《とうか》住持《じゅうじ》」を要請、皇族が寛永寺と輪王寺の門跡《もんぜき》となって権威づけをする体制をとった。

徳川御三家の宗派も実に微妙で、尾張は浄土宗、紀州は天台宗であり、水戸だけが二代藩主光圀の影響で儒教にこだわり、葬祭に仏教の関与を許さなかった。水戸出身の一五代将軍慶喜は朝廷に配慮し、遺言で神式での葬儀を寛永寺で行ない、谷中墓地に埋葬された。

徳川家康は、信長、秀吉が仏教の統制に手を焼くのを目撃してきた。そのため、「仏教を保護しつつ統制すること」に腐心した。一六〇一年から一六年にかけて寺院法度を宗派ごとに発布して統制を図った。とくに、本願寺系の一向一揆を恐れ、浄土真宗の分断統治を図り、一六〇二年に本願寺第一二世に第一一世顕如の三男准如が相続するにあたり、その兄教如に対して、家康は京都烏丸《からすま》に寺地を与えて東本願寺(真宗大谷派)を別立てさせた。

仏教宗派の多くが幕府の体制維持装置と化す中で、日蓮宗不受不施《ふじゅふせ》派の頑強な抵抗と幕府による弾圧には特筆すべきものがある。一五九五年に秀吉が妙法院大仏経堂で行なった千僧供養会に八宗派の僧侶各一〇〇人を招いたが、一切応じなかったのが妙覚寺の日奥《にちおう》(一五六五〜一六三〇年)であり、「不信の者から施しは受けない」という姿勢を貫く日奥は、一五九九年の徳川家康の千僧会にも応ぜず、流罪となった。以後、幕末まで不受不施派のおびただしい検挙、斬首、流罪が繰り広げられた。

江戸幕府の権力機構に組み込まれた仏教に自立的役割はあったのであろうか。末木文美士の『近世の仏教』(吉川弘文館、二〇一〇年)は江戸期における仏教を「堕落」と決めつけるのではなく、「民衆世界に華ひらいた」という視界を提起しており、示唆的である。中国からの黄檗《おうばく》宗の影響と出版文化の隆盛という要素が江戸期における仏教の民衆への浸透をもたらしたという指摘は重要である。

一七世紀中国における漢民族支配の明王朝から満州族支配の清朝への政権交代が、中国の儒学者や僧侶の日本への亡命をもたらした。とりわけ、明の復興を目指して台湾を支配した鄭成功《ていせいこう》が仕立てた船で、一六五四年に来日した隠元(一五九二～一六七三年)による黄檗宗の登場が仏教界に与えた刺激は大きかった。宇治の万福寺を基点に活動した隠元により導入された明朝禅林の生活規範たる『黄檗清規《しんぎ》』が仏教界を動かす一方で、世俗に配慮した柔軟な「心の染浄《せんじょう》」(自己の本来有する仏性の顕現)を重視する姿勢は江戸期仏教に静かに影響を与えた。黄檗系の僧侶が中国の木版技術によって大蔵経などの経典を普及させ、木版の「仮名法語」は民衆に仏教理解を促したことも大きかった。

ソーシャル・キャピタルとしての仏教寺院

また、江戸期の日本各地の村落における寺院の役割や寺子屋の活動に関する文献をみると、ソーシャル・キャピタルとしての仏教寺院の果たした機能を印象付けられる。元禄期(一七世紀末)、約六万の村が存在したという。農耕社会を形成するそれぞれの村に「名主(庄屋、惣代)」などの村役人が存在し、村のまとめ役として年貢の徴収などを担っていた。

また、ほぼすべての村に寺が存在し、秩序の支柱となっていた。寺請制度、寺檀制度などで統治機構の一翼を担いつつ、日常的には寺子屋での手習い教育、貧窮者の救済、家事もめごとの仲裁など、福祉という概念もなかった時代に、ソーシャル・キャピタルとしての機能を果たしていた面も見逃してはならないだろう。明治期に近代的学校制度が始まる前に、日本人の識字率がきわめて高かったのも、寺子屋が機能していたためであり、江戸期に蓄積された知の基盤が大きな意味を持った。

もちろん、越後の自然と子どもたちの中に身を置き、寺さえ無き僧侶として清貧に生きた良寛（一七五八～一八三一年）のような僧侶ばかりとはいえぬが、仏僧が村落の日常において持った意味は大きかった。良寛の句に「鉄鉢《てっぱつ》に　明日の米あり　夕涼み」があるが、こうして質実に生きる姿が、彼を取り巻く人々の心の灯であった。

江戸期の天皇と仏教――「泉涌寺」という存在

江戸期、寺檀制度や菩提寺の定着により、ほぼすべての日本人が仏教徒だったといえる。将軍から武士、町人、農民まで誰もがどこかの寺の檀家であり、天皇とて例外ではなかった。天皇家にも菩提寺が存在し、それが京都東山の泉涌寺《せんにゅうじ》だった。

泉涌寺は平安時代初期に草創されたが、その後荒廃、鎌倉時代に再興され、一二一八（建保六）年からは、律を基本に、天台、真言、禅、浄土という四宗兼学の道場として栄え、一二歳で亡くなった四条天皇（八七代、在位一二三二～四二年）の陵墓が設けられて以降、朝廷にとって特別の存在となった。とくに、江戸期の朝廷と泉涌寺はより密な関係となり、一〇八代の後水尾天皇から一二一代の孝明天皇に至る歴代天皇・皇后の葬儀は一貫して泉涌寺が執り行ない、その陵墓（月《つきの》輪陵《わのみささぎ》、後月輪陵《のちのつきのわのみささぎ》、後月輪東山陵）もすべて境内に造られた。

明治期、「廃仏毀釈《はいぶつきしゃく》」の中で泉涌寺の陵墓は国に没収され、宮内省（現宮内庁）の管理下に置かれた。寺領を圧縮された泉涌寺は苦難の時代を迎える。国家神道を際立たせた明治憲法下の仏教寺院として、「御寺《みてら》」とまで呼ばれた天皇家の菩提寺でありながら、限られた御下賜金での運営を余儀なくされた。一九四七年の日本国憲法で政教分離が定められて以降は、「国家神道」の圧力は回避できても、天皇家の内廷の私費の御下賜だけでは檀家のない寺門の維持は苦しく、「伊勢神宮、橿原神宮、泉涌寺」を三聖地とする宗教法人「解脱会」の支援などにより護持されてきたが、一九六六年以降は三笠宮崇仁《たかひと》親王（現在は秋篠宮文仁皇嗣）を総裁とする「御寺泉涌寺を護る会」が設立され、民間篤志家が支援する形で維持されている。日本人の多くは、今日でも天皇と神道の関係だけを認識しているが、一五〇〇年に及ぶ日本仏教史の中で築き上げられてきた天皇と仏教の関係を忘れてはならない。

ところで、江戸期の日本は「儒教の時代」というイメージが強い。家康の「侍講」として儒書を講じた林羅山の孫・林信篤が「大学頭《だいがくのかみ》」に任じられてからは林家が大学頭を世襲していたが、正式に儒学（朱子学）が幕府の「正学」とされたのは、一一代将軍家斉下の一七九〇年、松平定信の「寛政異学の禁」（湯島聖堂での朱子学以外の教授を禁止）からであった。

江戸初期の儒学を支えた藤原惺窩《せいか》、林羅山、山崎闇斎《あんさい》という三人は、仏門(臨済宗)から還俗して儒者となっており、儒学は宗教というよりも世俗社会を生きる規律に関する学問体系だったというべきかもしれない。

儒学の側からの仏教批判は手厳しく、仏教の出家主義や現世否定的傾向、寺檀制度に依存した僧侶の権勢と安逸、教理における「輪廻転生」「地獄・極楽」による民衆恫喝《どうかつ》などが、現世への主体的関与を重視する儒学の主知主義とは相容れなかった。新井白石の宗教論『鬼神論』(一八〇〇年)はその意味で刺激的である。

国学・神道の側からも仏教批判の動きが胎動し始めた。国学の祖とされる本居宣長《もとおりのりなが》については、次節の「本居宣長とやまとごころ」において論じるように、「もののあわれ」から「古学」に踏み込んでおり、宣長の真髄は「からごころ」、すなわち中国の文明文化に依存した世界観(華夷思想)の呪縛を解き、日本人の精神性を古層に求めることであり、「やまとごころ」の復権にあった。その目線からは、儒教は「唐土《もろこし》の道」であり、仏教は「天竺の道」が漢字文化を通過して伝わったもので、外来の道であった。

こうした仏教批判の鳴動こそ、明治期に吹き荒れる廃仏毀釈の前史であり、伏線であった。こうした仏教への論難に対して、仏教側からの対応の軸となったのは、浄土宗の大我《だいが》(一七〇九〜八二年)らによって主張された「三教一致論」であった。すなわち、儒教、仏教、神道の帰するところは「天下を安んじるための勧善懲悪の倫理性」にあるとする姿勢であった。「三教一致」と単純に括れるものではないが、現代世界を生きる日本人として、自らの心の中にある価値基準を問うとき、個人差はあっても、何らかの形で儒・仏・神の重層的価値の影響を受けていることに気付く。

そして、それが江戸期を通じて醸成されたものだということも間違いなかろう。幕府の正学として武士層の思想の軸になっていった儒教、寺檀制度を通じ日常性の中で民衆の精神の基層を形成した仏教、土着の自然崇敬と祖先祭祀を基盤として掘り起こされた古層としての国学・神道、これらが複合化して化学反応を起こし、日本人の「魂の基軸」を形成したといえる。それを新渡戸《にとべ》稲造のごとく「武士道」と呼ぶか、「和魂洋才」論における「和魂」と呼ぶかは別にして、日本人の深層意識における価値基準は、明治以降の日本近代史にも投影されていくのである。

(二〇一九年一二月号)

2　本居宣長とやまとごころ

価値の枠組みを転換した変革者

しき嶋の　やまとごころを人とはば　朝日ににほふ山ざくら花

六一歳の本居宣長が、自画像一幅に書き添えた歌である。桜の季節には何故か思い出す、日本人の心を揺さぶる代表的な歌であろう。私も世田谷の自宅の裏庭の桜から吉野の千本桜までさまざまな日本の桜を眺め、ワシントンのポトマックの桜も味わってきたが、この歌を想い日本人の美意識を感じたものである。かの山本五十六《いそろく》は駐在武官当時ポトマックの桜を見て、この歌が心にあったのであろう、故郷長岡の恩師宛ての絵葉書で「当地昨今吉野桜の満開。故国の美を凌《しの》ぐに足るもの有之候《これありそうろう》。大和魂また我国の一手独専にあらざるを諷するに似たり」と書いている。故国への熱い思い入れと、必ずしも日本だけが精神的に優れているわけではないという冷静な事実認識、この葛藤が国際社会に向き合う日本人の宿命である。

実は宣長の歌には「しき嶋の　やまとごころ」に至る原型がある。一七七三年、四四歳の自画像に寄せた次の歌である。

めづらしき　こまもろこしの花よりも　飽かぬ色香は桜なりけり

つまり、桜に心を寄せる心底の意識に、こま（高麗）＝朝鮮、もろこし（唐土）＝中国が対比概念として存在していたわけで、日本を意識するとはそういうことだった。「からごころ」からの脱却が宣長にとって、そして彼が生きた時代の日本にとっていかに重いテーマであったかを感じ取る必要がある。

気の毒な誤解が本居宣長に向けられてきた。「しき嶋」の歌は、太平洋戦争中「愛国百人一首」の定番とされ、曲解・利用された。かの「神風特攻隊」の部隊名が、「敷島」「大和」「朝日」「山桜」と名付けられ、徒花のごとき散華を美化する狂信的愛国主義の表象とされてしまった。しかし、宣長はそのように浅薄に捉えきれる存在ではない。改めて宣長を読み返し、小林秀雄や吉川幸次郎など、国学研究者以外の「知」による宣長論を確認して感じるのは、彼は時代の桎梏《しっこく》や固定観念から距離をとった自由の人であり、価値の枠組みを転換した変革者だということだ。子安宣邦が「近代における宣長の再生」と指摘しているごとく、「日本とは何か」が求められる時、日本人としての自己主張的言説の再生として宣長が甦る構造を考えざるをえないのである（『本居宣長』岩波新書、一九九二年）。

本居宣長なる生き方——市井の知性が国学の祖に

石川淳「宣長略解」（『日本の名著21　本居宣長』中央公論社、一九七〇年所収）、本山幸彦『本居宣長』（清水書院、一九七八年）、城福勇『本居宣長』（吉川弘文館、一九八〇年）等の「本居宣長」研究を参考に、宣長の足跡を整理しておきたい。

本居宣長は、一七三〇（享保一五）年に伊勢国（現三重県）松坂の小津三四右衛門定利の次男として生まれた。すでに荻生徂徠は一七二八年に世を去り、白石・徂徠の世代からは二世代後の時代を生きたことになる。小津一族は木綿《もめん》を扱う商家で、宣長の四代前の先祖が松坂木綿の店を江戸大伝馬町に展開して財を成した。商才ある一族で、三代前は木綿店だけでなく堀留町に煙草屋と両替店を営むなど「富み栄えた」という。

江戸期の松坂は、一六一九（元和五）年以来御三家たる紀州藩の「飛地」であり、伊勢参詣者が行き交う伊勢街道の宿場町で、名古屋、京都、大坂、和歌山に繋がる交通の要衝であった。木綿や麻の集散、江戸への販売のため三井家をはじめ江戸店持ちの大商家を約三〇軒生み、商人文化が花開いた。

小津家もその一つで、宣長も「商家の教養」を身につけて育った。八歳で手習い、一二歳で謡曲、一七歳で射術、一九歳で茶の湯、二〇歳で「四書五経」の素読と和歌などを学んだという。当時の豊かな町人の教養の高さを印象付けられるが、宣長の場合、とくに写本と多くの書物の乱読に情熱を注いだという。

また、一八歳の頃から「和歌を詠む心」が芽生え、和歌や歌学の書物に関心を寄せ、二二歳頃までの詠歌四百八十余首を「栄貞詠草」と題して一巻にまとめている。

商人としては知的世界に埋没する傾向が強く、次男の宿命で一九歳の時に伊勢・山田妙見町の紙商人の養子に出され、商人としての生活を始めるが、商売にはなじめぬまま二年で離縁となり松坂に戻った。重い挫折体験であり、母は宣長の将来を心配し、彼の知的素養を生かすべく医者にしようと思い立ち、京都への遊学を勧めた。その生涯を調べて苦笑を禁じ得ないのは母カツの存在である。遊学中の宣長に毎月一両のお金を工面して送金し、「酒は杯三つ以上はやめるように」という戒めの手紙を送るなど、宣長にとって頭の上がらぬ賢く怖い母であった。現存する母の手紙は六八通にのぼり、妻の名前を「カツ」に改名させるなど、相当なマザコンであったといえるが、母との信愛は彼の世界観に正の力を与えたと思われる。

京都遊学前年の一七五一年、江戸に店を出していた義兄の定治が病没、宣長が家督を相続することになった。だが商いの道にはなじめず、二三歳で医学修業のため京都遊学を選択し、まずは医学を学ぶための漢籍の読解力を身につけるために堀景山に入門、その後医術を学ぶため堀元厚に師事、京都で五年半を過ごした。一七五七年に二八歳で松坂に帰った宣長は医業を開き、自らを「くすし」と呼び、内科の町医者として生涯を送った。生真面目な記録魔であった宣長は、「済世録」として詳細な出納を残しており、一七八一年、五二歳の頃、年間の医療収入は九六両となり、これが生涯最高額であった。

向学心は燃え続け、転機は一七六三年、三四歳の時であった。伊勢参宮に訪れた加茂真淵と松坂の旅籠《はたご》で面談、翌年誓詞を提出して弟子となった。「松坂の一夜」といわれる運命的邂逅の時、真淵は六七歳、その教えは「からごころを清く離れて古《いにしえ》のまことの心を尋ね知ること」の大切さであり、『古事記』を解明したいという宣長の意思を強く後押しした。生涯に一度の面談であったが、書状を通じて真淵が亡くなるまでの六年間、指導を受けた。すでに徂徠学の影響を受け、官製儒学の限界を感じていた宣長は、真淵に触発される形で古学へと向かっていった。

議論を超えて、宣長が心を打つのはその学びの姿勢である。書斎「鈴屋《すずのや》」にどっしりと座り、三十数年をかけて『古事記伝』に立ち向かった。吉川幸次郎は『本居宣長』で「私は宣長の信徒となった」と語るが、最大の理由は宣長の「もの学びの心」、つまり学問に向かう姿勢への敬意であった。「からごころ」の研究者、すなわち中国の専門家である吉川が宣長を「世界的日本人」とまで評価するところに、多くの知的探究者が宣長に惹かれる核質がある。『古事記伝』全四四巻を六九歳にして完成、これが宣長思想の集大成であった。一八〇一年、一九世紀の入口の年に死去、七二歳であった。

宣長思想とは何か――「もののあわれ」から「古学」への踏み込み

真淵に入門した頃、三〇歳台半ばの宣長は『源氏物語年紀考』を著し、文芸観において新しい視点を提起した。歌詠みにしても物語にしても、この時代の価値に縛られた知的遊興の対象であり、とりわけ『源氏物語』は、儒教的価値観においては好色な貴族の色恋物語として隠微な文芸であった。だが宣長は、そこに人間世界を貫く「もののあわれ」を見たのである。

宣長は語る。「世の中にありとしある事のさま〴〵を、目に見るにつけ耳に聞くにつけ、身にふる、につけて、其のよろづの事を心にあぢはへて、そのよろづの事の心をわが心にわきまへ知る、是れ事の心を知る也、物の心を知る也、物の哀れを知るなり」(『紫文要領』)、つまり、ものごとの本質を深く捉える心の構えとして、主客一体の感情の移入、共感が大切だというのである。「されば物のあはれをしるを心ある人といひ、しらぬを心なき人といふなり」(『石上私淑言《いそのかみのささめごと》』)と言い切るところに、彼の真骨頂がある。

この「もののあわれ」までは、深く人間社会に踏み入る心のありかたとして理解できる。しかし、そこから何故『古事記伝』、古道なのか。当時誰も踏み込まなかった『古事記』へと向かった宣長を理解することは簡単ではない。そこには、尋常ならざるパラダイム・ジャンプがあった。

雑誌『新潮』に一一年半も「本居宣長」を連載(単行本、新潮社、一九七七年)した小林秀雄も、「宣長の皇国の古伝説崇拝は、狂信といふより他はない」と覚めた目線を送りつつ、「その魂と共振できるかどうか、そこだけなのだ」と宣長への思いを集約する。六〇年安保から全共闘運動へ向かう政治の喧騒の中で黙々と宣長研究に立ち向かった小林の「非政治的人間の政治的意思」が宣長と共振したのだろう。

宣長が礼賛した水戸光圀の『大日本史』も、古代並びに皇室への憧憬を示しながらも、日本の歴史は神武天皇に始まるとし、『古事記』は対象外である。幕府の正史『本朝通鑑《ほんちょうつがん》』も正編は神武から始まる。儒者の中でただ一人、新井白石のみが『古史通』において勇敢にも「神とは人也」と言い切り、「我国の俗凡其尊ぶ所の人を称して、加美といふ。古今の語相同じ、これ尊尚の義と聞えたり。今字を仮用《かりもち》ふるに至りて、神としるし上としるす等の別《わかれ》は出来れり」と、人為的に造られた神話の「知性に基づく合理的解釈」に向かった。

宣長は全く違う次元で『古事記』と向き合った。理解や解釈などという次元ではなく、『古事記』を古代との通信装置として、自らの心を古代に繋げることで、精神の所在地を確認する営みに挑戦したのである。口誦文化から文字文化に移行する時代の上代日本人に迫る挑戦であり、このあたりから「宗教的啓示」にも近い「神のしわざ」を信じ、神代の古道を探求する宣長となっていく。

「からごころ」からの脱皮――武家政治の揺らぎを見据える目

こうした方向に彼を突き動かしたものは何だったのであろうか。もののあわれを知る心とは、「儒学によって権威付けられた規範」を超えようとする美意識であった。であれば、その先に儒教による規範を超えた変わらざる価値が必要となる。そこに見えてきたのが「古の道」であった。背景には、江戸幕府とそれを支える価値体系たる「からごころ」に由来する儒学の行き詰まり、鎌倉幕府以来六〇〇年を超す武家政治の揺らぎがあった。

「鎖国」といわれる時代が、すでに百数十年も続き、文化的に依存し続けてきた中国からの自立の機運が満ちていたという背景もある。一七世紀の江戸期日本は、一六七〇年の寛永通宝と古銭の混用禁止令、一六八五年の大和暦《やまとごよみ》の採用と、流通通貨と暦という基本的な要素において中国の影響力からの自立を実現してきた。

一八世紀における本居宣長の登場は、「からごころからの脱皮」という意味で、江戸期日本における思想的葛藤の到達点だった。孔子・老子をはじめとする中国の聖人がいかに偉大とはいえ、中国中心にものを考える華夷思想の呪縛を超え、「あめつちのあひだ、いづれの国も、おの〱其国なれば」(『玉勝間』七)という冷静な自覚・相対感覚と「よしなき他国の説を用ひんよりは、己が本国の伝説にしたがひよらんこそ、順道なるべき」(『玉くしげ』)という思いが、宣長を『古事記』に向かわせたのである。

彼が生きたのは八代将軍吉宗から一一代家斉の時代だが、『古事記伝』に向き合い始めた一七七〇〜八〇年代は老中田沼意次の時代(七二年老中就任、八六年失脚)で、幕政は弛緩、一七八七年に松平定信「寛政の改革」が始まるが、ロシア使節ラックスマンの根室来航(一七九二年)など「外圧」も顕在化し、いよいよ「幕末」にさしかかっていた。

松坂に沈潜し、時代を見つめるその目には、武家政治の揺らぎと幕府を支える儒学的価値(からごころ)の限界が見えていた。そして、古道の探求の中から示したのは「日本の限りない肯定」であり、その価値を体現する存在としての天皇の復権・親政に光を見出すことであった。「討幕の思想」に点火する国学の姿が現われ始めたのである。

開かれた国学という視界

本稿執筆のために松坂を再訪し、本居宣長記念館、鈴屋を改めて見せてもらった。とくに印象付けられたことがある。それは記念館に展示してあった宣長所有の「世界地図」である。宣長は少年期より地図が好きで、自ら詳細な日本地図を描き松坂の位置を確認(『松坂勝覧』)していたが、五七歳の時に、「地球一覧図」(一七八三(天明六)年、大坂書林製)を手に入れて見つめていた。つまり、地球が丸いことも、日本が極東の島国であることも知っていたのである。

私が興味あるのは宣長の世界観だが、彼自身は決して偏狭な排外主義ではなく、オランダについては好意的関心を抱いていたことがうかがえる。少なくとも京都滞在中に朝鮮通信使を目撃し、オランダ商館長の江戸参府にも何回か遭遇したはずだ。事実、一七四八年一九歳の京都への旅の途中、朝鮮通信使の入京・出京を目撃したと書き残している。

また、一七五二年から五七年までの五年半の京都遊学の期間、江戸参府の行き帰りに京都滞在中の長崎オランダ商館長一行に何回かは遭遇したであろう。商館長の江戸参府は一六三三(寛永一〇)年に定例化し、一七九〇年以降は五年に一回となるが、宣長が京都で居住していた柳馬場五条、綾小路室町、室町四条は、どこも河原町三条のオランダ商館一行の定宿「海老屋」と近接しており、オランダ人を迎える大騒ぎに気付かなかったはずはない。とくに、医学を志していた宣長が随行する蘭医に関心が無かったとは思われない。

彼は生涯で二度江戸に下向した。一六歳の頃約一年間叔父の店に寄宿し、二二歳の時には義兄の死に際し、店の整理のために、四か月ほど江戸に滞在した。京都には五年半遊学、その他、名古屋、大坂、和歌山、吉野などに旅行を繰り返し、この時代の人としては行動的に動き回り、その意味でも視界を広げた人といえる。

一切の政治的発言や行動から距離を置いて、静かに古の日本へと価値を探求した宣長が、本人の意図を超えて時代を動かす思想の源流となる。それを同時代人として見抜いていたのが、宣長批判の急先鋒ともいえる上田秋成（一七三四〜一八〇九年）であった。太陽神である天照大神が万国を照らし皇国日本が万国の上に在るという考えは尊大であり、日本が「池の面にさゝやかなる一葉を散しかけたる」ような小国であることを認識すべきで、「日本魂と云《いう》も、偏《かた》よるときは漢籍意にひとし」として、自己中心的な中華思想と同次元の自己主張になりかねないことを懸念している。これに対し宣長は、「いかほど広大なる国にても、下国は下国也、狭小にても上国は上国也」（「呵刈葭」）と動じない。宣長がひたすら問い続けたのは、道に適った国家の質であり、国家権力や国威発揚ではなかった。

非政治的人間として松坂に正座した宣長は、「からごころ」の儒学を正学とする幕府を倒す理念的根拠を提起して、静かに世を去った。だが、その志を継ぐ形で文化年間から平田篤胤（一七七六〜一八四三年）が古道への回帰を主張して討幕の正統性を支え、明治になると川口常文「伝記本居宣長大人伝」（一八九五年）などが高等国文の教科書にも登場し、尊王愛国思想のイデオローグにまつり上げられていく。

鈴木大拙に「外は広く、内は深い」という言葉があるが、時代の桎梏の中で、本居宣長という人は静かに「日本とは何か」を追い、歴史の古層にまで内の深さに迫っていったのである。

（二〇一四年一二月号）

3　明治近代化と日本人の精神

明治期日本人の精神――江戸期に埋め込まれた魂の基軸

新渡戸稲造が『武士道』を書いたのは一八九九年で、三七歳であった。一八六二年に盛岡で南部藩士の子として生まれた新渡戸が「日本国民およびその一人一人を突き動かしてきた無意識的な力」、つまり魂の基軸を自己解明した作品ともいえる。

『武士道』の序文において、新渡戸は執筆の意図に関して、欧州の有識者との対話において、宗教教育がない日本で「どのようにして子どもに道徳教育を授けるのか」と聞かれ、それに対する解答を模索したものだと語っている。

第一章で、新渡戸は「武士道の淵源」に言及している。キリスト者たる新渡戸が、自らの体験的考察において、日本人の価値基軸として埋め込まれたものをどう認識していたかは示唆的であり、新渡戸は「武士道の源泉は孔子の教えにあり」という。そして、「冷静、温和にして世才のある孔子の政治道徳」が、君臣、父子、夫婦、兄弟、朋友の関係を支える規範になってきたと述べる。さらに、儒教倫理を中核としながら、仏教と神道が日本人の精神に深い影響を刻んだと新渡戸は指摘する。仏教は「運命に対する安らかな信頼の感覚、不可避なものへの静かな服従、危険や災難を目前にした時の禁欲的な平静さ、生よりも死への親近感をもたらした」と語り、神道は「先祖への崇敬」「自然崇拝」という価値をもたらしたという。

「武士道」の柱として新渡戸は七つの価値を提示する。「義」(支柱としての正義の道理)、「勇」(胆の錬磨)、「仁」(人の上に立つ条件)、「礼」(他人への思いやり)、「誠」(二言なき生き方)、「名誉」(苦痛と試練に耐える心)、「忠義」(何のために死ぬか)の七つである。サムライの子だった新渡戸が、儒教の「四書(大学、中庸、論語、孟子)五経(易経、書経、詩経、礼記、春秋)」を日本人の価値の基軸とするのも頷けるし、新渡戸自身はキリスト者として、「功利主義者や唯物論者の損得勘定哲学は、魂を半分しかもたない屁理屈屋が好むところである。功利主義や唯物論に対抗できる十分に強力な他の唯一の道徳体系こそキリスト教である」とまで言い切るが、怒濤のような西洋近代化の波に直面した明治期の日本人が、葛藤の中で自らの心を支えるものを求めて自問自答をしたことは間違いない。

そして、多くの日本人が江戸時代を通じて身につけた精神性、それを新渡戸は「武士道」と表現してみせたが、仏教、儒教、神道の複合によって形成された価値体系を再確認したといえる。新渡戸は『武士道』の最後を「不死鳥はみずからの灰の中から甦る」というあの名言によって締めくくるのだが、近代化とともに浸透する功利主義と金銭主義の中で失われつつある日本人の精神への危機感と願望が滲み出た言葉である。

過日、山形県の鶴岡市で、江戸期に庄内藩の藩校だった「致道館《ちどうかん》」を訪ねる機会を得た。藤沢周平が描いた武士の世界の舞台が庄内藩であり、花を咲かせることよりも根を張っていくことを大事にする「沈潜の風」とされる庄内人の気風を培った基盤がこの致道館にあったことを実感した。幕藩体制下の日本に二五五校存在したといわれる藩校の多くが、儒学の中でも朱子学を学ばせたのに対して、致道館は荻生徂徠の古文辞学(徂徠学)を学ばせたのが特色だという。

この藩校という仕組みが、各地の人材育成の基盤となった。一八七一年の廃藩置県で廃止されたが、旧藩校が形を変えて地域教育の中核としての役割を果たした事例が多い。また、明治期に向学心の強い士族出身の青年が東京で学ぶ時、かつての藩主の多くが藩邸を藩校の延長の寮として提供して郷土出身者を支えた。この中で醸成され、暗黙のうちに人生の規範として定着していったのが「武士道」的価値だったといえる。

およそ明治という時代を知的に生きた青年は、西洋化の潮流の中で、日本人としての精神的基盤を問い直した。「日本哲学の座標軸」と言われる西田幾多郎(一八七〇〜一九四五年)の『善の研究』(一九一一年)もこの知的緊張の中から生まれたといえる。西田四一歳の作品で、青年西田幾多郎の知の格闘の凝縮でもある。西田は「宗教」に関し、「宗教的要求は自己に対する要求である」と語り、「真正の宗教は自己の変換、生命の革新を求めるのである」と言い切る。つまり、人間が自らの内面を見つめる力に宗教の本質を見るのであり、「真摯に考へ真摯に生きんと欲する者は必ず熱烈なる宗教的要求を感ぜずには居られないのである」とする西田の言葉は重い。そして、「我々は最深なる内生に由りて神に到る」という視座に立って、「宗教の真意は神人合一の意義を獲得するにある」という西田の帰結は、宗教のあるべき姿を考える者にとって視界を拓くものである。

和魂洋才とは何か

明治期の日本人の精神的系譜を整理する上で、平川祐弘《すけひろ》の『和魂洋才の系譜――内と外からの明治日本』(河出書房新社、一九七一年)は重要な作品である。

「和魂洋才」の起点が「和魂漢才」にあり、日本人の精神性が外からの圧力に対する緊張によって形成されてきたことが分かる。日本人にとって、重い存在は常に中国の文明・文化であった。「やまとだましい」が「からごころ(もろこし)」と対峙することで形成され、『源氏物語』の「少女《おとめ》」の巻の一節が紹介されている。「なお、才《ざえ》をもととしてこそ、大和魂の世に用ゐらるゝ方も強う侍らめ」という行であるが、ここで「才」とは中国の学問のことであり、平安期の教養人の理念が「和魂漢才」にあったことを紫式部は示唆しているのである。

中国渡来の先端的知識も大切だが、日本の特性にも心を配るという、和魂漢才を兼具することを評価するというものであったが、鎌倉期の蒙古襲来以降、「和魂」は「やまとだましい(大和魂)」となって神国日本思想を芽生えさせる。そして、それが江戸期には本居宣長の「からごころからやまとごころへ」という国学の思想に影響を与え、後述する「国家神道」への伏線になっていくのである。

『和魂洋才の系譜』は明治を代表する国際人、森鷗外（一八六二～一九二二年）に焦点を当て、西洋化日本と和魂の行方を追っている。そして、ドイツに留学して医学を学び、エリート軍医として生涯「官」に仕えた鷗外が残した遺言が「石見人森林太郎として死せんと欲す」であり、「あらゆる外形的取扱ひを辞す」であったことに注視している。鷗外は「学問と芸術の位は人爵の外にある」という信念を貫き、官位・勲章などの栄誉に価値を置かなかった。晩年の鷗外は、「易経」にある「自彊不息《じきょうふそく》」、すなわち「自ら静かにつとめてやまない」という言葉を好んだという。西洋の知才の世界を生きながら、東洋的価値観を端然と貫いたわけで、「和魂洋才」を体現した人物といえる。

また、「日本資本主義の父」といわれ、五〇〇を超す企業を興した渋沢栄一が七六歳の時に書いた『論語と算盤』（一九一六年）は、「経済道徳合一主義」を論じたもので、「士魂商才」という言葉が登場するが、明治の経済人の多くが、利潤追求だけではない資本主義を志向した背景には、江戸期に蓄積された価値観が強く潜在していたことを思わせるのである。

明治というあまりにも特異な時代――国家神道への傾斜

明治を生きた青年の多くが、真剣に自らが拠って立つべき精神の基軸について苦闘していたこととは別次元で、国家としての日本は「国家神道」の確立に突き進んだ。国家統治の中心に「天皇」を置き、「尊皇」の具体化のための祭政一致の国体の実現を目指したのである。そして、そのことが「戦争」という悲劇に突き進む淵源となったといえる。

一八六八（慶応四）年三月に、明治政府は「祭政一致」の制度に復する布告を行ない、「神仏分離令」が出された。江戸期の仏教優位の神仏習合を反転させ、神社の地位を仏教寺院の上に置くもので、日本各地において「廃仏毀釈」といわれる過激な寺院・仏像を破壊する運動の引き金となった。国家神道の展開と国民への浸透については、島薗進『国家神道と日本人』（岩波新書、二〇一〇年）に詳しく述べられており、一八八九年の「大日本帝国憲法」、翌一八九〇年の「教育勅語」の公布という形で、政治主導による上からの「国家神道」体制が形成されていった過程が確認できる。

大日本帝国憲法第二八条には「日本臣民ハ安寧秩序ヲ妨ゲズ及臣民タルノ義務ニ背カザル限ニ於テ信教ノ自由ヲ有ス」とあり、キリスト教や仏教まで、すべての宗教の自由が保証されたともいえる。ただし、神道だけは宗教というよりも特異な国家統治のシステムの中心に置かれ、それを定着させたのが「教育勅語」であった。天皇と臣民の紐帯を中心概念として、臣民が守るべき儒教的徳目が提示され、天皇中心の「国体」を護り抜くために「一旦緩急アレバ義勇公ニ奉ジ以《もっ》テ天壌無窮《てんじょうむきゅう》ノ皇運ヲ扶翼《ふよく》スベシ」という究極の国家神道的価値が強調されたのである。明治期から一九四五年の敗戦以前の時代を生きた日本人は、「教育勅語」を基盤とする教育課程を通じて、「心の習慣」として国家神道の価値観を共有することとなった。

ここに埋め込まれた万世一系の天皇を戴く「神の国日本」という意識が、ドイツ帝国を模した

「国家主義」と相関し合い、富国強兵で自信を深めるにつれてアジアを見下し、「日本を盟主とするアジア」という危うい国家思想に変質していったことを省察せざるをえない。

司馬遼太郎の『坂の上の雲』は、国家と帰属組織と個人が共通の目標（坂の上の雲）を見上げて生きることのできた「幸福でもあった時代」として躍動感をもって明治を描いている。敗戦後の戦後なる時代を生きた青年の心象風景は、一〇歳で敗戦を迎えた寺山修司の短歌「マッチ擦るつかのま海に　霧ふかし　身捨つるほどの　祖国はありや」に象徴されるのではないか。価値基軸が崩壊した時代に立ち尽くしたのである。

「昭和軍閥」のせいで真珠湾への道に迷い込んだと決めつけ、明治という時代は西洋化の潮流に青年たちが「和魂洋才」で歯を食いしばった時代として認識されがちであるが、祭政一致の国家神道に国民を呪縛し、その帰結としての選民意識とアジアへの侮りが、尊大で無謀な冒険主義に日本を駆り立てた主因だったことを深く認識すべきである。

戦後において、日本国憲法の下に「政教分離」がなされ、神道と国家の結合は否定されたが、今上天皇の即位に関わる一連の儀式において明らかなごとく、皇室祭祀はほぼ明治期天皇制を踏襲しており、政治リーダーの中には国家神道への回帰をもって「日本を取り戻す」ことと考えている勢力もある。

（二〇二〇年一月号）

4 現代日本人の心の所在地——希薄な宗教性がもたらすもの

現代日本の宗教人口と宗教意識

文化庁の『宗教年鑑』(平成三〇年版)によれば、日本には八五三三万人の仏教信徒、八六一七万人の神道信徒、一九二万人のキリスト教徒、その他宗教の信徒七七四万人を合わせ、一億八一一六万人の宗教信者が存在する。つまり、総人口をはるかに上回る宗教信者が存在するということになる。もちろん、これは宗教教団側からの檀家、信徒、氏子の数を積み上げた申告の累計であり、国民意識において宗教に帰依していると自覚している人の数とは大きなギャップがあり、ここに日本の宗教がおかれた特徴があるといえる。

国民意識の中での宗教に関し、NHKの「『日本人の意識』調査」(二〇一八年)をみれば、現代日本人の宗教に関する意識が透けて見える。同調査での「宗教とか信仰とかに関係すると思われることがら」で、「あなたが信じているものがありますか」という問いに対して、複数回答可という条件の中で、「何も信じていない」という回答が三一・八%で、これは一〇年前の二〇〇八年調査の二三・五%に比べ大きく増えており、一九七三年に調査が始まって以来の高い数字となっている。

「神」を信じると答えた人は三〇・六％（一九七八年調査時三七・〇％）、「仏」を信じる人は三七・八％（七八年時四四・八％）、「聖書や経典などの教え」を信じる人は五・七％（七八年時九・三％）という数字の変化は、明らかに宗教教理の受け止められ方が希薄になってきたことを感じさせる。

一方で、「奇跡」を信じる人は一四・〇％（七八年時一四・九％）、「お守りやおふだなどの力」を信じる人は一五・七％（七八年時一五・八％）、「易や占い」を信じる人は四・六％（七八年時八・三％）と、一定の安定的な支持を維持しており、「グッド・ラック宗教」「お守り宗教」とでもいおうか、自分と身内の幸福を願う「招福を期待する心理」は根強く存在し続けていることが分かる。

日本人には宗教性がないのか、というとそうでもない。山折哲雄は『近代日本人の宗教意識』（岩波書店、一九九六年）において、「日本人は非宗教的世俗論者ではない」として、「漠然とした無神論的心情は、自然の背後に『神』の身じろぎを感ずる鋭敏な無常感と背中合せになっている」と論じているが、それはかつて寺田寅彦が「天然の無常」（「日本人の自然観」『岩波講座　東洋思潮12』岩波書店、一九三五年）と表現した日本人の自然観、「山も川も樹も一つ〳〵が神であり人でもあるのである」にも通じる納得のいく視界であろう。「『神』の身じろぎを感ずる鋭敏な無常感」は、潜在意識において時代を超えて日本人に受け継がれていると思われるが、そこにも微妙な変化が起こっていることも直視しなければならない。

世代交代の意味——戦後日本がもたらしたもの

日本人の価値意識の変化の背後には、「世代の入れ替わり」という要素が重く存在している。注視したい。「日本国民」のすでに八割以上が、アジア太平洋戦争後の日本を生きた世代になっていることを二〇二〇年の初頭の日本において、八〇歳以上が一一三二万人、総人口の九・〇％となっている。八〇歳は一九四〇(昭和一五)年生まれである。つまり、平成が終わった今、明治・大正世代、昭和一桁世代の人口比重は五％を割り、この意味で日本人を構成する中身が変わったのである。それは、「教育勅語」に基づく教育を受けた日本人はほとんどいなくなったということでもある(注：一九四七年教育基本法公布、四八年教育勅語の排除・失効の国会決議)。すなわち、今生きている日本人の圧倒的多数は、戦後民主教育を受け、戦後なる日本の七五年間と並走した存在なのである。

前節「明治近代化と日本人の精神」において、明治期日本人の精神を考える素材として、新渡戸稲造の『武士道』に触れた。宗教心がないかに見える日本人だが、武士道に凝縮される価値観を身につけていることを論じた作品で、南部藩士の子として生まれた新渡戸の三七歳の作品であった。江戸期の日本で幕府の正学とされ、武士階級の知の基軸となった儒学を含む「神・仏・儒の交渉の時代」であり、『武士道』が書かれた一八九九年の日本には、まだ武士道こそ魂の基軸といえる土壌が残っていた。しかし、現代日本において武士道を語りうる人間はほとんどいない。社会構造の変化が日本人を変えたのである。

スポーツ・イベントを盛り上げるために、現在も「サムライ・ジャパン」などの勇ましいキャッチフレーズは飛び交うが、儒学・漢籍の素養も「神・仏・儒」の知見も全く持ち合わせない日本人になっているのである。

戦後日本は産業と人口を大都市圏に集積したために、鎮守の森の神社も檀家だった寺も田舎において、若者は都会に動いた。「盆暮れの里帰り・墓参り」は続いたが、都会生活も二代目、三代目となり、田舎との接点は希薄となり、それは宗教との関係も希薄化させた。三橋美智也、春日八郎、千昌夫、吉幾三などを思い起こしても、一九六〇年代から八〇年代まで、日本の歌謡曲の柱は「田舎と都会の応答歌」であり、都市新中間層は故郷を想いながら都会に生きた。だが、すでに両親の住む帰る故郷はなく、過疎化の中で、全国に七・七万も存在する寺のうち、二万以上の寺に僧侶はいなくなった。「葬式仏教」と「観光仏教」、そして「お祭り神道」「教会結婚式」は生き延びているかにみえるが、教理を心に刻み、人知を超えた大きな宗教的意思に心を配る宗教性は加速度的に失われている。

たとえば、東京を取り巻く国道一六号線に沿って、戦後日本は「団地」「ニュータウン」「マンション群」を建設して首都圏における居住空間を形成した。ここが「工業生産力モデル」日本を支えたサラリーマン、都市新中間層の集積地帯であり、今やこのゾーンが急速に高齢化しているのである。田舎との距離感の変化は宗教との疎遠化にも投影され、「寺じまい」「墓じまい」を加速化させている。大都市部では「死して散骨」は珍しくなくなった。

戦後日本人の心の基軸――経済主義の行きづまり

戦後日本人の中核となった都市新中間層の心の基軸となったものは何だったのであろうか。あえていえば、都市新中間層の宗教ともいえるのが「ＰＨＰの思想」(豊かさを通じた幸福と平和)だった。Peace and Happiness through Prosperity は、敗戦の翌年、一九四六年に松下電器の創業者・松下幸之助が提起した概念であり、翌年発刊された雑誌『ＰＨＰ』の創刊号には政治学者・矢部貞治や詩人・室生犀星が寄稿している。松下のＰＨＰについて、連合国軍最高司令部(ＧＨＱ)に対するカムフラージュ、プロパガンダだという見方もあるが、敗戦後の混乱に直面した松下が心に描く、理想社会への真摯な思いだったといえよう。

とくに、松下らがＧＨＱから公職追放指定を受けた際、除外嘆願に動いてくれた労働組合への熱い想いが「労使の共存共栄」の基本哲学としてＰＨＰを強調したと感じられる。「労使対決」という戦後日本の新しい対立を克服する概念として、「まずは会社の安定と繁栄が大切」というＰＨＰの思想は定着した。やがて松下幸之助は「経営の神様」といわれるようになり、晩年の松下は「徳行大国日本の使命」を語るようになっていた。また、ものづくり国家日本のシンボルとして、本田技研の本田宗一郎、ソニーの井深大、盛田昭夫らとともに「神格化」される存在となった。現在の日本には、そうした存在の産業人が全くいなくなったことに気付く。

ひたすら「繁栄」を願う「経済主義」が戦後日本の宗教として、都市新中間層に共有されていった。だが、そこには、明治期の日本人が、押し寄せる西洋化と功利主義に対して「武士道」や

「和魂洋才」といって対峙した知的緊張はない。「物量での敗北」と敗戦を総括した日本人は、「敗北を抱きしめて」、アメリカにあこがれ、アメリカの背中を「追いつけ、追い越せ」と走ったのである。そこには米国への懐疑は生まれなかった。

資本主義と対峙しているかに見えた「社会主義」も、ある意味では形を変えた経済主義であった。階級矛盾の克服にせよ、所有と分配の公正にせよ、経済関係を重視する視点であり、経済主義において同根であった。

日本の勤労者世帯可処分所得がピークを迎えたのが一九九七年であったが、以来二二年も経った二〇一九年においても、勤労者への分配は水面下のままである。帰属する会社の社歌を歌う「会社主義」への思い入れは、江戸期の藩へのご奉公にも通じるものであり、それに応えるように「年功序列・終身雇用」のシステムにおいて、会社は安定した分配を提供できた。そうした右肩上がり時代には違和感なく受容されたＰＨＰの思想も、平成の三〇年間で軋みが生じ始めた。会社は右肩上がりの分配を保証できなくなり、ＰＨＰに共鳴していた勤労者の中核たる都市新中間層も高齢化し、定年を迎え会社を去った。

「経済さえ安定していれば、宗教など希薄でも生きていける」という時代を生きた都市新中間層が改めて気づいたことは、経済主義だけでは満たされないものの大切さであり、それは老いと病、さらに人間社会を生きる苦悩・煩悩の制御である。

そして、「宗教なき時代」を生きる日本人の心の空漠を衝くかのように、カルト的新宗教教団の誘惑と、戦前の祭政一致による「国家神道」体制の復活を求める動きが蠢《うごめ》き始めている。

不安と苛立ちの中で、我々は無明の闇に迷い込んではならない。戦後日本の共同幻想というべき「工業生産力モデル」と、それを支える心の所在地としての「ＰＨＰ主義」という枠組みは静かに機能不全に陥っている。この先に進む心の再生こそ真の「戦後レジームからの脱却」である。

（二〇二〇年四月号）

第4章　令和の暁鐘が問いかけるもの

1　外なる課題への視座

令和の時代が始まって半年が経過した。この間、時代の予兆を感じさせる出来事が続いた。我々は、置かれた状況を直視し、事態の本質を認識して希望を拓かねばならない。

平成の三〇年間については、第1章「平成の晩鐘が耳に残るうちに」で、私自身の体験的総括を試みた。平成が始まる頃、世界GDPの一六%を占めていた日本の比重は、平成が終わってみたら、わずか六%にすぎなくなっていたことを確認した。国際機関等の大方の長期予測では、二〇年後には三%前後に落ち込むとみられている。

経済の埋没は、政治の埋没に相関しており、この間、「アメリカを通じてしか世界を見ない」

という米国への過剰依存構造に沈潜し、冷戦後の世界史に適応できずにいる。アジアのダイナミズムに突き上げられ、デジタル・トランスフォーメーション（DX）という情報技術革命のうねりの中で日本の存在感は明らかに後退し、世界の有識者の間でも「日本を国連安保理常任理事国へ」とする声は消えた。

「何となくうまくいっている感」を演出する政権の思惑を受けて、日本人に不思議なほど危機感はない。だが、現実を直視した真摯な危機感こそ改革と発展の基点である。日本人は事実を直視する勇気を持たねばならない。

七人の経済人の本音――日本人の深層心理

奇妙な体験をした。二〇一九年一〇月末、ある経済倶楽部《クラブ》のレストランでの出来事であった。七人の人物が囲む円卓の近くで、私は講演の出番を待って一人エビフライを食べていた。八〇歳台の大物経済人を囲む形で、六〇歳台、七〇歳台の企業経営者が懇親会を開いている様子だった。顔見知りの人も数人いて、観察すると、七人中四人が、例の一七色のＳＤＧｓ（持続可能な開発目標）バッジを胸に付けていた。つまり、表面上は「良識」的な人たちの集まりだということである。

談論風発、ワインが入るほどに大声で本音が飛び交い、衝立越しに議論の中身が耳に残った。そして、これが現在の日本の企業経営者たちの深層心理なのだと感じた。

まず、話題は「韓国はけしからん、厳しい態度で臨むべし」という話で盛り上がり、一人がある大企業で韓国の支社長をやっていたようで、いかに韓国人が「恨みの民族」で日本への恨みをバネに生きているか、「韓国人の国民性が信頼できない」という熱弁が続いた。数人の「断交すべし」の熱い議論に対して、長老格がたしなめるように、「近隣なるがゆえに憎しみを増幅する歴史を積み上げてきた面もあるが、百済《くだら》の時代から世話にもなってきた。苛立ってはまずいだろう」と語っていた。

次に、話題は「アベノミクスの危うさ」に及び、マイナス金利にまでもっていった異次元金融緩和の長期化が経済を毀損し、経営を歪めていることが論じられていた。「マイナス金利は、借金したほうが有利だという意味で、経営者の経済倫理を損ねる」と、長老格が筋道立った意見を語っていた。それでも、「異次元金融緩和が、株価の上昇をもたらしているから、まあ結構じゃないか」というところに七人の話が落ち着いた。

さらに、議論は「トランプに揺さぶられる安倍外交の情けなさ」に話が及び、貿易協定で妥協し、防衛装備品を買わされ、米軍駐留経費の増額を強いられる現状に苛立つ心情が吐露されていた。一人が「日本はいまだに独立国ではないな」と言うと、ほぼ全員が「そうなんだよ」と共鳴していた。それでも、「中国の強大化」という脅威に向き合うには「米国についていくしか選択肢はない」という、何とも自虐的空気になり、もの悲しい形で寄合はお開きになった。寂しい結論のようだが、これが令和初頭の日本人の典型的な心象風景なのか。埋没の中で、低迷を安定と思いたい心理ともいえる。

株高の背後にあるグローバル資本主義の歪み

確かに株価は上がっている。二〇一〇年からの九年間で、日経平均は二・三倍になった。日銀主導でマネタリーベースを五倍にした「異次元金融緩和」の余波であるが、この間の実質GDP成長率は平均年率一・三％で、実体経済から乖離した株高が進行していることになる。

二〇一九年秋、株高をもたらした皮肉な構造が明らかになった。一九年九月末時点での日本銀行の上場投資信託（ETF）の保有額が時価総額で三一兆円となり、「日本株式会社」の筆頭株主はついに日銀になった。株高の大きな理由は、公的資金の株式市場投入であり、この中央銀行によるETF買い入れと、年金積立金管理運用独立行政法人（GPIF）によるものだけでもほぼ累積八五兆円を国内の上場企業株式に注入している。外資が日本株を買っている理由も政府保証債を買っているという心理であり、「日本は資本主義国家といえるのか」という疑問が湧き起こるのである。しかも、個人が投資した株式の七割以上は高齢者が保有しており、公的資金を投入してまで株価を引き上げる政策は「世代間分配格差」を増幅している（拙著『シルバー・デモクラシー』岩波新書、二〇一六年参照）。

ここで、株高の背後にあるグローバル資本主義の歪みともいえる構造問題に触れておきたい。一九年一一月、IMFのゲオルギエバ専務理事が講演で、我々が生きる世界の本質に迫る驚くべき数字に言及した。「世界の公的部門と民間部門の債務が、二〇一八年末に一八八兆ドル(約二京円)と過去最大規模に達した」というのである。

これは、世界GDPの二・三倍に当たる規模で、世界中が「借金漬け」になっていることを意味する。つまり、金融資本主義の主導するメッセージが「借金してでも景気を浮揚させる」というもので、金融を緩和して、超低金利で借金を誘発した結果、こうした事態を招いたといえる。この債務膨張が未来への投資につながればよいのだが、現実はマネーゲームの原資となって株価の「根拠なき高騰」の要因となっている。そして、このことは超低金利下の借金に慣れきった政府や企業の体質を変え、金利上昇に対して虚弱になっているということで、危うさを内包した借金漬けなのである。

世界の株高もこのことと深く関係している。二〇一七年初、つまりトランプ政権がスタートした時から二〇一九年一二月中旬までの三年間でNYダウ平均株価は約四割上昇、日経平均も約二割上昇した。この間の米国の実質GDPの成長率が年二・六%程度、日本のそれが一・二%程度というのに、「不自然な株高」であることに気付かねばならない。「健全な資本主義への視座」を取り戻さないと、我々は愚かなる金融危機を繰り返すことになる。

世界中にリスクが顕在化し、実体経済が変調局面を迎えているにもかかわらず、債務(借金)が肥大化し、株価が高騰する異常性の中で、危機意識が拡散し、あるべき姿を探求する理性が幻覚に浸っているといえる。

もう一つ、日本の現実を再考する素材として、令和初頭の小さな衝撃に触れておきたい。二〇一九年八月、ロシアのカザンで第四五回技能五輪国際大会が行なわれた。この大会での金メダル獲得数において、日本は七位だった。一〇年前まで、日本はメダル獲得数においてトップを争い、「中国、韓国が追い上げようが、日本の産業技術基盤は盤石だ」と誇りを感じてきた。ところが、二〇一七年のアブダビ大会で第九位に転落、以来、不思議なことに日本のメディアはこの大会のことを一切報道しなくなった。

二〇二〇年、東京オリンピックが近づき、スポーツの五輪で活躍する若者に光があたることは結構である。ただし、産業の現場で頑張る青年に関心を寄せることは、日本の生業《なりわい》を想う時、大切である。日本の名だたる製造業の企業経営者の中には、「技能五輪の結果など心配する必要はない。製造現場はコンピューターが制御している時代で、熟練工など手間暇かけて育てる必要はない」という人もいる。だが、技能五輪で競われている五六種目を直視してみるべきだ。たとえば、フラワー装飾、美容／理容、ビューティーセラピー、洋裁、洋菓子製造、西洋料理、レストランサービス、造園、グラフィックデザイン、看護／介護、ホテルレセプション、クラウドコンピューティングなどもあり、つまり現場力が競われているのだ。「経営は頭から腐る」といわれ、経営幹部の意識が現場に投影しているということだと思うが、日本の現場力が急速に劣化しているのは間違いない。

実は、この技能五輪に関して、二〇二三年の開催地に名古屋が立候補していた。「東京五輪」

「大阪万博」「名古屋技能五輪」は三本柱となる戦略プロジェクトであったが、八月のカザンでの投票でパリに惨敗した。このこともメディアは一切報道しない。「都合の悪いことは伝えない、語らない」。いつの間にか日本はそんな国になった。株価と為替、マネーゲームの動きだけを経済の話として語る国になった。

令和の世界構造——「米中二極」認識とその機能不全

時代認識の基盤は、世界秩序の基本枠をどう捉えるかにある。一九八九年のマルタにおける米ソ首脳による冷戦終結宣言以来、大方の世界認識は、冷戦の勝利者としての米国の一極支配という捉え方から、9・11後の米国の世界秩序マネジメントの失敗(「イラクの失敗」)を経て、新興国の台頭(「BRICsの登場」)を背景に「多極化」「無極化」(Gゼロ)を迎えているという捉え方が主潮であった。

ところが、令和初頭のいま、世界認識の中心に「米中二極」という捉え方が常態化してきており、いつの間にか、日本人にも、「日米中トライアングル」という視界は後退し、米中二極の中で「米国周辺国」として生きることを当然とする視界が定着し始めている。

米中対立が深化して、事態が通商摩擦から情報技術覇権をめぐる緊張にエスカレートし、「新冷戦」という見方も登場しているが、米中それぞれが「極」を形成し、求心力を形成しているかというと決してそうではない。米ソ冷戦期には体制選択をめぐる対立があったが、極を束ねる中心概念、つまり「正統性」という点で、米中対立は市場主義の中での覇権争いであり、理念を賭けた闘いではない。しかも、米中ともに決して世界の制御においてうまくいってはいない。そのことを確認しておきたい。

米国の失敗——その象徴としての中東の液状化

一九七九年のイラン革命以来、米国の中東政策は「失敗の連鎖」であり、中東での米国のプレゼンスは後退を続けた。約一〇〇年前、一九一九年は第一次世界大戦の終結をめぐるベルサイユ講和会議の年であった。第一次大戦を経て、オスマン帝国は解体され、中東は欧州列強の草刈り場となった。ペルシャ湾に覇権を確立したのが大英帝国であったが、第二次世界大戦後の一九六八年に英国がスエズ運河の東側から撤退した後、代わって覇権を握ったのが米国であり、その米国が同盟を結んだイランのパーレビ体制がイスラム原理主義によって倒されたのがイラン革命だった。

イラン革命で盟友イランを失った米国は、「敵の敵は味方」の論理で、隣のイラクのサダム・フセインを支援し、イラン・イラク戦争(一九八〇〜八八年)を戦わせた。それがサダム・フセインを増長させ、クウェートへの侵攻と湾岸戦争(一九九〇〜九一年)へとつながり、その始末をつけざるをえなくなったのがイラク戦争であった。

二〇〇一年、ニューヨーク、ワシントンという米国の心臓部が襲われた9・11同時多発テロの衝撃を受け、米国は二〇〇三年、9・11とは何の関係もなかったイラクを攻撃、フセイン体制を崩壊させた。一方、同時テロの実行犯一九人のうち一五人がサウジアラビアのパスポートで入国していたにもかかわらず、サウジアラビアについては黙認するという二重基準外交を続けてきた。まさに失敗の連鎖であり、迷走である。

いま、中東で進行していることの本質は、第一次大戦後の一〇〇年、この地域に繰り返された大国の横暴の終焉であり、埋め込まれてきた地域パワーの復権である。それが「シーア派イランの台頭」であり、オスマン帝国の栄光を引く「トルコの野心」である。

こうした中で、トランプ政権は極端なまでのイスラエル支援政策を展開している。中東への地政学的戦略というよりも、イスラエルのネタニヤフ政権につながる身内の人間関係とトランプの岩盤支持層たる福音派への配慮から、「エルサレムへの米国大使館移転」「ゴラン高原のイスラエル領有支持」「パレスチナのユダヤ人入植地の容認」とイスラエルに加担する政策を加速させている。

このことは、米国が中東和平の仲介者としての役割を放棄したことを意味する。イランとの核合意からも離脱し、イラン制裁を強めているが、「イランの核は否定し、イスラエルの核保有は容認する」というのも二重基準で、「中東の核」を制御することにはならず、火薬庫とされる中東に火種を投げ込むだけである。二〇一九年一一月末、収賄で起訴され窮地に立つネタニヤフ首相はシリア・ダマスカス郊外のイラン革命防衛隊武器庫などを空爆、ペルシャ湾の軍事的緊張とともに、すでに中東は戦争状態に近づいている。

さらに事態を複雑にしているのがロシアである。米国の迷走はロシアの中東への再登場を招いた。冷戦後、中東から姿を消していたロシアが、シリアのアサド政権を支援する形で軍を展開し、中東に足場を再構築した。米国が中東から後退していく中で、ロシアはイラン、トルコとの関係に加え、イスラエルやサウジアラビアとの関係も深めており、中東のパワーブローカーたる影響力を高めつつある。

問題は中東だけではない。トランプ政権は、米国にとって最も大切なはずの同盟外交を混乱させてしまった。しかも、同盟の基軸となる「価値」をめぐる対立ではなく、カネをめぐるDEAL(取引)、つまり「自分は損をしたくない」ということでNATOには「加盟各国に対する軍事費のGDP比四%への増額」、日本・韓国には「米軍駐留経費の負担増」を求めるものであり、そこには世界秩序をリードする大国の自覚はない。つまり、第一次大戦以降の国際連盟、第二次大戦後の国際連合の設立の経緯を思い起こしても、米国の主導の下に形成されてきた「リベラル・インターナショナル・オーダー」(自由で開かれたルールに基づく国際秩序)の自己否定がなされているということである。「理念の共和国」といわれ、政治的にはデモクラシー、経済的には市場主義との理念を掲げてきた米国の後退の意味を重く受け止めねばならない。

中国の失敗――その象徴としての香港の混乱

二〇一九年一〇月、中華人民共和国は建国七〇周年を迎えた。一八年三月の全人代で中国は憲法を改正し、二期一〇年までだった国家主席の任期制限を撤廃した。それは二期目に入った習近平が三期以上を目指すことを意味し、「終身政権」さえささやかれている。こういう政権は「余人をもって代えがたい指導者」として評価される必要がある。東アジアに対しても習近平政権は強勢外交を展開し始めた。

二〇一四年の「雨傘運動」以降、香港の民主化運動は根絶やしにされたといえるほど抑圧され、二〇一八年秋には「広深港高速鉄道」(広州―香港)と「港澳珠大橋」(香港―珠海―マカオ)が完成、広州・深圳《しんせん》・香港・マカオを一体開発する「大湾区計画」に組み込まれつつある。

また、台湾について、二〇一六年、党綱領に「台湾独立」を掲げる民進党の蔡英文が総統に就任し、前政権の対中融和政策を見直すと、習近平は全人代などで「台湾統一」について並々ならぬ決意を表明、台湾の国際的孤立を図る政策へアクセルを踏んだ。一九年九月に台湾はソロモン諸島、キリバスと断交、台湾が外交関係をもつ国はわずか一五か国になった。中南米九か国、南太平洋の島国四か国、アフリカの一か国で、欧州についてはバチカンだけとなった。一一月のローマ教皇訪日の時、台湾に立ち寄るかが注目されたが、中国のバチカン接近を背景に、訪問はなかった。

香港の騒動が何故これほど続いているのか。その理由は本土の中華人民共和国だけではなく、世界中に存在する華人・華僑とのネットワークの中で捉えることから見えてくる。一九年夏、香港、シンガポールでの議論を通じ、あらためて確認できたのが「ネットワークとしての中国」の意味である。前出の拙著『大中華圏』において、私は中国の持続的成長の大きな要素を台湾、香港、シンガポールなどの華人・華僑圏の資本と技術を取り込んだことにあるという検証を試みた。事実、国民党の馬英九政権下の台湾では、一〇万社の台湾企業が中国本土に進出した。また、香港、シンガポールの華僑資本も、日米欧の企業の中国展開のパートナーとなって中国の経済発展を支えた。

中国の歴史で際立つのは「異民族支配」の繰り返しである。元というモンゴル支配、清という満州族支配という時代を経て、海外に動いた漢民族が「在外華人・華僑」の淵源であり、一九四九年からの共産党支配を嫌って海外に移住した中国人も加わり、世界に七〇〇〇万人、東南アジアに三三〇〇万人の中華系の人たちが存在している。

これらの華人・華僑の心理は複雑である。「中華民族の偉大な復興」を掲げる習近平のメッセージに共鳴して中国の発展に協力する意識と「民主化された地域に住んできた」ことにより、中国の強権化を警戒する心理が交錯している。香港、シンガポール、台湾の華人経済人と話すと、本土の中国が習近平の個人崇拝的強権化に向かっていることを懸念する空気を感じる。党規約に習近平思想を掲載するなどの習近平への権力集中と個人崇拝的傾向については、朱鎔基元首相(九一歳)の苦言、江沢民元国家主席(九三歳)ら長老の懸念などが伝わるが、香港の混乱はそうした不安と嫌悪を象徴しているといえる。

香港問題における中国の失敗は、海外における華人ネットワークの失望を招いたことである。香港の「リーダー無き騒乱」が示すのは、グローバルなネットワーク型争乱だという性格である。香港がもめればもめるほど台湾独立志向の蔡英文政権を勢いづける。第二の香港になりたくないという対中警戒心を刺激するからである。

中国が国際社会の建設的参加者になりうるのか、それとも強権化した指導者の下での歪んだ「国家資本主義」体制にとどまるのかを世界が注視しているといえる。

日本の立ち位置——米中の周辺国ではない自立自尊

「米中二極」という世界認識は正しくない。それぞれが「失敗」というべき局面に直面している。何よりも、米中ともに世界のあるべき秩序に向けて世界を束ねる理念を見失っている。かかる状況の狭間に立つ日本は、単純に「日米同盟で中国と向き合う」という路線しかないと思い込みがちである。だが、米中二極は理念をめぐる対立ではなく、利害の対立である。この大国主義志向の強い二つの国は、利害が一致すれば、米中二極で手打ちをして「世界を仕切る」方向に踏み切る可能性さえ内在させている。

日米中の関係をめぐる一五〇〇年の近代史を直視すれば、米中連携の中で日本が孤立・敗北に至った歴史の教訓に気付くはずである。在米華僑の存在の厚みなど、米中関係のパイプは日米間のそれよりもはるかに太いことを忘れてはならない。

令和日本の最大の外交課題は、「同盟の質」を再点検し、米国への過剰依存を脱して、日米関係の再設計を真剣に模索することである。二〇一九年五月に来日したトランプ大統領は、横須賀基地で「力こそ平和をもたらす」と力説した。翌月、英国を訪問した彼は「自由と法の支配」という共通の価値を有する同盟国として「特別の関係」を強調した。同じ同盟国でありながら日本には「自由と法の支配」が無いかのごとき認識であり、その後も機会あるごとに「日米安保は不公平」、「日本は豊かな国、その日本の防衛に米国は大金を払っている」として、在日米軍駐留経費の負担増を求めている。

在日米軍駐留経費の七五％は日本側が負担している。米軍を米本土やハワイ、グアムに配置するよりも、日本に置いたほうが安く済むということで、米軍基地固定化の要因になっている。二一世紀に入って、9・11後のインド洋、イラクへの自衛隊派遣など対米協力という形で負担したものを含め、日本は累計一五兆円を超す軍事協力をしている。米国が見直すというのであれば、好機である。三沢から沖縄まで、すべての米軍基地、施設をテーブルにのせ、東アジアの安全保障に必要なものを検証し、基地の段階的削減と占領軍のステータスのままといえる地位協定の改定に踏み込むべきである。

トランプ政権は、戦後日本が大切にしてきた価値を理解していない。それは戦争という途方もない犠牲を払って到達した「武力をもって紛争解決の手段としない」という決意であり、トランプが「力こそ平和」と語った後、「非核平和主義」をもってそれに対峙する政治家がこの国にいないことに怒りを覚える。米中対立に自ら沈み込むうちに、対立が昂じて台湾海峡で軍事衝突が起こった場合、台湾には米軍基地は存在せず、自動的に沖縄は戦闘に巻き込まれる。集団的自衛権に前のめりになっていることの結末を想い、アメリカの戦争に巻き込まれない主体的知恵を志向することが課題である。

二〇一九年の夏、アメリカの本音を垣間見る苦笑いの論稿に出会った。『フォーリン・アフェアーズ・リポート』(日本語版は二〇一九年七月号に所収)にAEI(アメリカンエンタープライズ研究所)のニコラス・エバースタットが書いた「人口動態と未来の地政学——同盟国の衰退と新パートナーの模索」である。

ここでいう「衰退する同盟国」とは、ユーラシア大陸の東西にある英国と日本であり、米国の目線からすれば、明らかに衰退の兆候をみせる両国との関係を見直し、新しいパートナーを模索すべしという主旨で、ワシントンに動き始めた本音ということもできる。少なくとも、米国との過剰同調が招く結末を暗示している。

米中力学の間で、令和という時代を生きる日本

二〇一九年一一月二九日、戦後日本を代表する政治家・中曽根康弘元首相が一〇一歳で亡くなった。メディアは、その足跡を米レーガン元大統領との「ロン・ヤス関係」を背景にした「日米同盟強化」と「憲法改正論者」として伝えた。私は一九九〇年代にワシントンで仕事をしていた

時代、訪米中の中曽根氏に同行し、今世紀に入ってからも何度か対談の機会を得た。敗戦を軍人として受け止め、戦後日本と並走した中曽根康弘という人物の真髄は「自立自尊」であり、米国とも正対する気迫を持った人という印象が残っている。

とくに、二〇一一年一二月の対談は、日本テレビの番組「本音激論！　なかそね荘」でも放映され、書物にもなっているので、心に残る発言を紹介しておきたい（『なかそね荘』世界文化社、二〇一五年）。この時、中曽根氏は九三歳だったが、「日本の国際的地位というのが相対的に沈下して、……外国からの尊敬とか、成長する力……が崩れつつある」「中国民族は単細胞ではないですからね。だから、これに対応する外交戦略というものも、単細胞では駄目なわけで、複眼的で総合的な外交戦略」に進まねばならないと強調していた。

私が「沖縄はじめ在日米軍基地の抜本的見直しを含む冷戦後の日米関係の再設計の必要」という持論を語ったのに対して、「やるのなら、確固不抜の政策を貫かねば、外交は足もとをみられる」と、鳩山由紀夫政権以降の民主党政権の腰砕けを論難し、ロシアとの北方四島問題についても「四島返還、一貫して進むべき」と断言していた。単純な対米協調論者でもタカ派でもなく、「聞く力がなければ、決して説く力は生まれない」と語った言葉が突き刺さった。あらためて、現在の指導者において「説くに値する主張」と「説く力」を持った人が存在するのかを考えさせられる。

米中力学の間で、令和という時代を生きる日本の主体的立ち位置を確立することに尽きる。その際、最も大切なことは非核平和主義を掲げアジア太平洋諸国の先頭に立つことであり、成熟した民主国家として公正な社会モデルを実現することであり、さらに技術を大切にする産業国家としてそれを支える人材の教育に実績を挙げることである。

（二〇二〇年二月号）

2　日本の内なる再生の基軸

令和日本の三つのメガトレンド

①アジア・ダイナミズム

令和日本の進路に関する大方の議論を集約すると、三つのキーワードに収斂するといえよう。一つは、「アジア・ダイナミズム」であり、今後二〇年、年率六％台の実質成長を続けると予想されるアジア(除く日本)のＧＤＰは、少なくとも日本の一五倍に達していると推定される。ちなみに、二〇一九年の段階で、日本を除くアジアのＧＤＰはすでに日本の四倍となった。日本の貿易総額におけるアジア諸国の比重は現在五割を超しているが、二〇年後には、間違いなく七割に迫っているであろう。

また、二〇二〇年代に六〇〇〇万人の外国からの来訪者を期待し、「観光立国」で活性化を図ろうとする日本にとって、インバウンド(外国人来訪者)の七割がアジアからという実態を直視すれば、四〇〇〇万人を超すアジアからの来訪者を想定しているわけで、貿易・人流など、あらゆる意味でアジアの成長力を吸収し、日本の新たな前進を実現するという認識に立つ必要がある。

そのことが日本に突き付けるものは何か。それはアジアを正視し、相互理解と相互交流の流れを創る覚悟である。その前提として、日本がアジアにとって魅力ある存在たりうるのかという課題がみえてくる。アジア広域を巻き込んだ戦争が終わって七五年を迎えるいま、中国の強大化と強権化が際立ついま、日本の立ち位置が問われる。

アジアの国でありながら、日本近現代史はその大半をアングロサクソン同盟で生きたという特色をもつ。一九〇二年から二三年までの「日英同盟」、そして敗戦後の一九五一年から今日までの「日米同盟」を国際関係の基軸としてきた。日本人の多くは、二つの同盟を挟む期間が「戦争から敗戦」という悲惨な迷走期だったため、「アングロサクソン同盟は成功体験」と認識する深層心理がある。

つまり、「脱亜入欧米」を基調とし、ご都合主義的にアジアと関わってきた国が、経済的利害でアジアに接近しても、その成果は限られている。何よりも、相互理解の得られる「国造り」が重要である。近代史を省察し、アジアの脅威とならない「非核平和主義」の徹底、民主国家としての政治の透明性、日本モデルと言わしめる産業・技術における先行性・創造性など日本の基軸が求められる。

②デジタル・トランスフォーメーション

二つは、「デジタル・トランスフォーメーション（DX）」であり、産業のみならず社会総体がデータリズム、IoT、AI（人工知能）を積極的に取り込んだ構造転換を真剣に模索せねばならない。GAFAなど巨大IT企業による「デジタル専制」の潮流がみられるいま、DXの光と影を直視し、受け身でDXに飲み込まれるのではなく、「人間の顔をしたDX社会」実現という問題意識が大切になる。

『サピエンス全史』(邦訳、河出書房新社、二〇一六年)以来、構造的歴史認識で発言を続けるイスラエルの歴史学者ユヴァル・ノア・ハラリの近著『21 Lessons――21世紀人類のための21の思考』(邦訳、河出書房新社、二〇一九年)も、「あなたが大人になったときには仕事はないかもしれない」として、AIに象徴される情報技術イノベーションが旧来の仕事に代替する時代を予想している。この問題は、一八世紀末の産業革命以来の歴史を振り返っても、IT革命の先駆者ティム・オライリーが『WTF経済』(邦訳、オライリー・ジャパン社、二〇一九年)において指摘するごとく、「テクノロジーが職を奪う。だが、新しい職種の仕事もふえ、職を殺すが雇用は殺さない」という認識が正しいのであろう。ただ、それには人間の側の主体的関与・努力が重要になる。

どんなにコンピューターが進化しても、人間にはコンピューターに課題を与える役割が残る、という考えもある。ただし、冷静に考えれば、課題設定力には人間の側に大きな知の力が求められる。生身の人間の機械を超えた「全体知」が問われるのである。そして、人間が課題設定力を高めなければ、DX社会は「デファクト化、ブラックボックス化」という特質によって人間が機械に振り回される状況をもたらしかねない。誰にでも使えるコンピューターになっているが、多くの場合は原理も構造も分からぬまま、ある枠組みに受け身で組み込まれている。AIの時代の到来は、実は生身の人間としての「脳力」(自分の頭で考える力)を求めるのである。

③高齢化社会学の挑戦

三つは、異次元の高齢化社会を創造的時代へと向かわせる「ジェロントロジー」(高齢化社会工学)である。二〇一九年の出生数は八六・四万人であった。団塊の世代といわれる戦後日本の先頭世代の三分の一であり、少子高齢化が加速している。二〇五〇年には六五歳以上人口が総人口の四割、四〇〇〇万人に迫り、八〇歳以上が一六〇〇万人、一〇〇歳以上が五三万人と予想される。私は『ジェロントロジー宣言』(NHK出版新書、二〇一八年)において、ジェロントロジーを「老年学、老人学」と訳すのではなく「高齢化社会工学」として、高齢者の参画によって社会を支える力になってもらう構想、制度設計を模索し始めた。日本では六五歳以上の人口を「非生産年齢人口」として括り、高齢化を社会的コスト負担(年金・医療・介護など)の増大としてのみ考えがちである。ここでの「生産年齢」という概念が「工業生産力」を前提としたものであることに気付く。

人口構造の高齢化が問題なのではなく、都市郊外型の高齢化が問題なのだ。戦後日本は工業生産力での復興・成長をひたすら探求したことにより大都市圏に産業と人口を集積させた。その工業生産力モデルを支えた都市新中間層が「都市郊外型の高齢者」となって、都市周辺に集積し始めている。つまり、会社人間としてサラリーマン人生を過ごした高齢者を「社会的コスト」と決めつけるのではなく、社会を支える存在として参画させるプラットフォームを構築することができるかという挑戦がジェロントロジーなのである。おそらく、社会的制度設計を変えていくことが必要となるが、それには工業生産力モデルの優等生として疾走した戦後日本型社会を再考することが必要になる。

令和日本の基本テーマ——工業生産力モデルからの進化

日本人は何でメシを食べていくのか。いかなる時代でもこれが基本テーマとなる。そこで、確認してきた三つのメガトレンドが示す令和日本のベクトルを一つの焦点に収斂させるならば、日本人はこれまで常識としてきた日本の生業に関する固定観念を疑い、日本社会の基軸を再構築することが求められていることに気付く。

日本の生業、つまり産業の基本性格は、工業生産力モデルに立つ通商国家である。第二次世界大戦以前も一定の工業化を進めていた日本であるが、厳密な意味では日本の基幹産業は農業であった。戦後という時代が始まっても、一九五〇年の就業人口の四九％は一次産業であり、これが一九七〇年には一九％、一九九〇年には七％となり、現在はわずか三％となっている。このパラダイム転換が戦後日本だった。

一九五六年度の『経済白書』に「もはや『戦後』ではない……今後の成長は近代化によって支えられる」という表現が登場してからの約三〇年間が、奇跡の成長の時代であった。ここでいう「近代化」とは技術革新による産業の近代化、すなわち「機械工業主軸の産業構成と発展」を意味していた。外貨を稼ぐ鉄鋼、エレクトロニクス、自動車などの輸出産業を育て、原材料を効率的に輸入して加工貿易を行なう「通商国家」として生きる「工業生産力モデル」を目指したのである。こうした路線を生きた日本の暗黙の国民目標を象徴する論稿が、一九六四年の国際政治学者・高坂正堯《こうさかまさたか》の「海洋国家日本の構想」(『中央公論』一九六四年九月号)だったといえる。七つの海を越えて、「東洋でも西洋でもない立場に通商国家として生きる」ことが戦後日本のコンセンサスであった。

工業生産力モデルの成立を示す象徴的数字が粗鋼生産量の推移である。一九四六年に五六万トンにすぎなかった粗鋼生産は、一九五〇年に四八四万トン、一九六〇年に二二一四万トン、一九七〇年には九三三二万トン、二〇〇七年に一・二億トンでピークを迎えるが、その後はほとんど横ばいとなっている。

「工業生産力モデル」の成功とその代償というべきか、戦後日本は「生産性の低い農業は切り捨て、食べ物は海外から買ったほうが効率的」という国を造ってしまった。その結果、一九六〇年度に七九%だった食料自給率(カロリーベース)は、二〇一八年度には三七%となった。この食料自給率は、一九九〇年に四八%と五割を割り込んだが、一九六〇年代からの三〇年間こそ「工業生産力モデルの探求期」だったのである。

戦後世界の通商環境の「自由化」という流れにのって、工業生産力で豊かな国を実現するために日本は走った。だが、気が付けば、世界にも稀な食料自給率の低い国になっていた。ちなみに、米国とフランスの食料自給率は約一三〇%、ドイツはこのところ自給率向上を図って九五%に、先進国の中で日本の次に低いとされる英国でも約六五%である。日本は異様なまでに「食」の足元の弱い国なのである。

令和日本は、この工業生産力モデルを再考し、賢く「食と農の再建」を図らねばならないであろう。TPP(環太平洋パートナーシップ)協定と日欧経済連携協定(EPA)に参加し、米国との新たな貿易協定に踏み込むという「自由化」の流れを受け入れ、食料自給率はさらに低下するであろう。すでに、日本のEPAカバー率は三六・七%(二〇一八年、JETRO調べ)になった。農水省は「地産地消」などを柱とする「フード・アクション・ニッポン」を推進して二〇二〇年度までに食料自給率を五〇%とする目標を掲げていたが、達成は非現実的である。

「自由化政策」を含め、すべての日本の経済政策は「工業生産力にとって望ましい政策」を志向しているといえる。輸出産業にとって「為替は円安がいい」という思い込みが働くが、食料を七・二兆円、鉱物性燃料(原油、液化天然ガスなど)を一九・三兆円(二〇一八年)も海外から輸入する日本にとって、円安のマイナス面もあり、次なる時代を睨んだ賢明な判断が要る。

思えば、日本が円という単位の通貨を採用したのが一八七一(明治四)年で、スタート時は一ドル=一円であった。戦争に入る一年前の一九四〇年、実勢レートは一ドル=二円であった。敗戦後、一九四九年のドッジ・ラインで一ドル=三六〇円の単一レートとなった。敗戦は、日本の通貨の価値を一八〇分の一に圧縮したともいえる。その後、一九七一年のニクソンショック、八五年のプラザ合意などを経て円高基調へと向かい、現在一ドル=一一〇円前後を動いているが、二桁のデノミ（通貨単位の変更）でも実行しない限り、原点から考えれば、極端な円安になったままともいえる。

工業生産力モデルを追求するため、先述のごとく戦後日本は産業と人口を大都市圏に集積させ、食の海外依存を高めた。その結果、東京と大阪の食料自給率は一％、神奈川は二％、愛知は一二％という特殊な都市空間を生み出した。そして、「食べものは買って食うもの」として生きてきたサラリーマン群が、高齢者となって都市郊外に集積している。これらの層を農業従事者に招き入れることは難しいが、食と農への意識を変え、農耕放棄地を活用する生産システムに応分に参画し、食を支える関係人口としていくことは可能である。

たとえば鶏卵の自給率は、飼料の自給率を反映するカロリーベースでは一三％であるが、重量ベースでは九五％であり、ニワトリが食べる飼料穀物を農耕放棄地で作り、ニワトリに与えるシステムが形成されれば、「自由化」の流れの中でも自給率は上げうるのである。

災害を増幅させる山林・農地の疲弊

日本の農業基盤を再建すべき時代に向かいつつあることを思い知らされたのが、二〇一九年、日本を襲った自然災害であった。我々は、異常気象によって想定外の雨が降ったと受け止めがちである。もちろん、そうした要素も大きいが、台風一九号による被災地を注視すると、阿武隈川、千曲川、多摩川など、上流や流域における山林・農地の疲弊によって、水を制御する「保水力」

「治水力」が虚弱化していることも指摘されねばならない。

食を海外に依存し、自給率を下げる過程で、日本は農耕放棄地を四二万ヘクタールにまで拡大した。山林も疲弊し、このことが自然災害を増幅させているのである。

六一億人で二一世紀を迎えた世界人口はすでに七七億人を超し、二〇五〇年には九八億人になると国連は予測している。二一世紀の間に人口は倍増、一一二〇億人を超すといわれる。「人口爆発」は食糧問題(量と配分の問題)に直結する。また、地球規模の気候変動は「食と農」に防災力を求めている。日本はファンダメンタルズに還り、「食と農の再生」に立ち返ることから日本の再生を図るべきである。

人類史は「狩猟採集社会」から「農耕社会」、そして「工業社会」、さらに「情報社会」と一直線に進化するものではない。いかなる時代でも、人間は食べずには生きていけない。生身の人間の身体性を視界に入れた社会を構想する時、「食と農」は基盤であり、日本は「食と農」の安定を取り戻し、産業構造の重心を下げることに動き始めるべきである。

工業生産力モデルを否定し、農耕社会に戻ることを論じているのではない。工業生産力は日本産業の基盤であり、宝である。むしろ、この工業生産力で蓄積した技術、さらに新たなデジタル・トランスフォーメーションの中で躍動しているＡＩ技術なども食と農分野に取り込んで、廃棄する食の無駄を抑え、バランスのとれた産業社会を創造しようというものである。食と農に真摯に向き合うことは、生命とは何かを考えることにつながり、人間らしい社会の厚みを増すのである。

令和の隠されたアジェンダ――「国家神道」の制御と民主主義の定着

「令和」という年号が、漢籍ではなく『万葉集』に拠って決められたことが強調されるところに、令和の運命が暗示されている。つまり、「からごころ」から「やまとごころ」だという心理の投影で、中国の台頭という圧力を意識した選択なのである。

「令和」の典拠となった八世紀の梅花の宴を催した大伴旅人《おおとものたびと》の心を「平和ならしめよという天の令」と捉えるならば、日本人は令和なる時代に「おおらかな調和」を求めなければならない。それゆえに、令和日本の隠されたアジェンダは偏狭なナショナリズムの制御であり、復権を試みる国家神道を、令和を生きる日本人が「民主主義」に立って抑制できるかにかかっている。

確認したいのは「神道」を問題視しているのではなく、国家権力と結び付けられた明治期の特異な「国家神道」を問題としていることである。日本人に根付いている神社神道については、故郷の山を敬愛し、地域の氏神様を礼拝するごとく、深く共感するものがある。ただ、一神教的な思い入れで他宗教を排除し、「神の国」という過剰な選民意識でアジアに関わった日本近代史の教訓を踏まえることなく、日本の未来は語れないのである。

敗戦直後の一九四五年一二月一五日、GHQより日本政府に対して出された「国家神道、神社神道ニ対スル政府ノ保証、支援、保全、監督並ニ弘布ノ廃止ニ関スル件」(神道指令)において、

「国家神道」(STATE SHINTO)が、戦争に至った日本の「国体」を形成した中核概念であることが示された。侵略思想の神話的カムフラージュ、軍国主義の思想的信仰的支柱として機能したのが「国家と神道の結合」であるとして、国家と神道の分離を指示したのである。これを受容し、基軸としての「日本国憲法」に投影したのが戦後日本であった。

突き崩される戦後日本の基盤

安倍政権によって、この基盤が静かに突き崩されつつある。「憲法改正」が提起され、憲法第九条、自衛隊の明記が入口の論点とされているが、真の論点は「国体」であり、戦後民主主義への評価である。国家神道への不気味な誘惑が蠢《うごめ》き始めている。それは日本の行き詰まり感を背景に「ニッポン」を連呼するナショナリズムの高揚を土壌に忍び寄っている。日本のナショナリズムは、日本だけを讃える愛国心ではなく、アジアとの共鳴を持ったナショナリズムでなければならないはずだ。

自民党憲法改正草案(二〇一二年四月)を読むと、改正第一条「天皇は、日本国の元首であり、日本国及び日本国民統合の象徴であって、その地位は、主権の存する日本国民の総意に基づく」とあり、現行の日本国憲法の第一条が「天皇は日本国の象徴であり、日本国民統合の象徴」という、いわゆる「象徴天皇制」を大きく変更する案となっている。自民党の草案でも「国民主権」を規定しており、「統治権を総攬《そうらん》」する明治憲法下の天皇とは異なるが、「元首」と明記することが「統治権」や「行政権」における天皇の役割を拡大する「天皇制の政治化」に道を拓くことになりかねない。戦前の「国体」への回帰を願望する意図が投影された改正案といえる。

　また、教育勅語を擁護し復権させる安倍政権下の「閣議決定」(二〇一七年三月)は、「憲法や教育基本法等に反しないような形で教育に関する勅語を教材として用いることまでは否定されることではない」とされるが、教育勅語における「父母ニ孝ニ兄弟ニ友ニ夫婦相和シ朋友相信ジ恭倹《きょうけん》己レヲ持シ……」という徳目が時代を超えた普遍的価値とされるにもせよ、教育勅語の本質が国家神道に立ち「主権在君」で「一旦緩急アレバ義勇公ニ奉ジ以《もっ》テ天壌無窮《てんじょうむきゅう》ノ皇運ヲ扶翼《ふよく》スベシ」というものであったことを厳しく省察しなければならない。そのことが視野狭窄な「選民意識」に立ったアジアとの緊張(緩急)を触発し、日本を不幸な敗戦という悲劇に導いたことを忘れてはならないはずだ。

　明治期の国家神道による統治体制の二つの柱が「大日本帝国憲法」と「教育勅語」であった。国家神道に基づく天皇を中核とする「祭政一致」の絶対天皇制は、天皇制の長い歴史の中でも特異な体制であり、むしろ象徴天皇制のほうが、「権力」よりも国民との信頼関係に立つ「権威」として、本来の天皇制といえるであろう。明仁上皇、そして今上天皇と、天皇家が「日本国憲法に基づく象徴天皇制」への想い入れの強い発言をしておられることは、「象徴天皇制を安定的に定着させること」にとって筋の通った姿勢といえよう。

「戦後民主主義の教科書」ともいわれる『日本の思想』(岩波新書、一九六一年)において、丸山眞男は「明治日本の機軸」としての「国体」の創出に関して、興味深い事実に言及している。明治憲法制定の立役者たる伊藤博文は、一八八八(明治二一)年六月に枢密院議長として「憲法制定の根本精神」について、次のような発言をしていたという。——「仏教は……今日に至ては已《すで》に衰替に傾きたり。神道は祖宗の遺訓に基き之を祖述すと雖《いえども》、宗教として人心を帰向せしむるの力に乏し」という認識に立ち、「我国に在て機軸とすべきは、独り皇室あるのみ。是を以て此憲法草案に於ては専ら意を此点に用ひ君権を尊重」するとして、「主権在君」の国体を構想した意図を明らかにしている。

ただし、伊藤博文が単なる天皇親政主義者だったというわけではない。国家神道をもって天皇の権威を固め、政治権力の中核に天皇を置きながら、一方で、近代国家としての「国家制度」を造りあげようとした。内閣制度の発足(一八八五年)、天皇の政治活動を支えるための枢密院を創設し初代議長に就任(一八八八年)、立憲主義に立つ大日本帝国憲法発布(一八八九年)と、世界に向き合うための国家としての体制を整えていった。

国家神道で美装した絶対天皇制を政治権力の中核とし、「元首」としての天皇を取り巻く政治力学が、結果として巨大な「無責任の体系」を生み出した。たとえば、天皇が軍事における「統帥権」を持つという建前が、軍部による政治の攪乱(統帥権干犯問題、一九三〇年)を引き起こしたのである。主権を持つ天皇を利用し合う権力闘争が、皮肉にも「誰も責任を持たない」構造をもたらしたのである。

教育勅語への賛美が意味するもの

いま再び、天皇を元首とし、教育勅語を賛美する流れを作ることは何をもたらすのか。軍隊への指揮・命令権を「統帥権」と呼ぶが、戦前の日本では天皇がこの権限を有し、一般国務より優越する形で、実体的には軍部が政治を支配していく導線となった。戦後は「文民統制」として、内閣の行政権の中に自衛隊への指揮・命令権もあるが、もし、「天皇親政」の祭政一致国家を目指す勢力が自衛隊の一部に浸透し、代議制民主主義の堕落と政府の国家指導力の貧困に幻滅するに至ったならば、「二・二六事件」のような軍事クーデターが起こる可能性もないとはいえないのである。

戦後のある時代までの政治家は、その恐ろしさを記憶していた。自衛隊の現状を見る限り、そうした危険性はないとみるのが常識だが、憲法に明記され、役割意識が肥大化する流れがつくられれば、「緩急」あれば銃口を握っている存在の圧力が増すことを忘れてはならないのである。

令和を迎え、天皇の即位に関する一連の儀式において、宮中祭祀は神道色を際立たせる形式がとられ、仏教の僧侶などが即位関連の宮中式典に参列して祝意を示すことはなかった。江戸期の天皇家は仏教徒の側面も持ち、後水尾天皇から孝明天皇までの陵墓が京都東山の泉涌寺に創られ、菩提寺としての役割が果たされてきた。明治期の国家神道に基づく「廃仏毀釈」によって仏教は退けられ、「日本国憲法」下の今日においても、天皇家と仏教の間には距離がとられたままである。今回の即位に関わる「奈良・京都訪問」においても、「前四代の天皇への報告」という説明で、孝明天皇陵への参拝は意味づけられていたが、仏教色は極端に抑制されていた。

歪んだナショナリズムの手招き

戦後の日本は、先述のごとく「工業生産力モデル」を探求したことで進行した都市化の中で、団地、ニュータウン、マンション群という宗教性のない空間を造り、宗教性の希薄な都市新中間層を大量に生み出してきた。これらの人たちにとって、「国家神道」の復権がもたらす危険といっても、視界に入らないといえる。そうした間隙を衝いて、歪んだナショナリズムが手招きしている。令和日本がアジアと正対するためにも、戦前回帰を志向する日本ではまずい。象徴天皇制を着実に根付かせる努力が求められる。

二〇一九年一一月二九日、秋篠宮殿下は五四歳の誕生日記者会見において、再び「大嘗祭への国費投入は疑問」との発言をされた。国家神道と一線を画す「日本国憲法」下の宮中祭祀のありかたに関し、殿下が的確な問題意識を有しておられることが理解できる。

令和日本の暁鐘を聞きながら、内政・外交の基軸において、あらためて日本人の英知が求められていることを痛感する。それは戦後民主主義が、「与えられた民主主義」を脱してどこまで根付いたかが問われているということであり、「国民の考える力」が試されているのである。

（二〇二〇年三月号）

対談　心身を研ぎ澄まし，重心を下げて危機に向き合う

内田 樹／寺島実郎

撮影＝兼子裕代

「知のつながり」を体感する

寺島　今まで私はいろいろな方と対談してきましたが、中でも心に残るのが、たった一回の加藤周一さんとの対談です。二〇〇三年の晩秋で、私がイラク戦争は間違った戦争だと発言していたところに、突然加藤さんが訪ねて来られました。強く記憶に残っているのが「自分は年齢とともに物事のつながりが見えるようになった」と言われたことで、その時はピンとこなかったのですが、私も年齢を重ねて、最近その「物事のつながり」が若干見えてきたように思うのです。

私はいまだに年に一〇回以上海外に出て、海外の現場に立っていますが、それが私自身の議論の立ち位置として重要なポイントで、世界を見てきたことの責任を自分なりに果たしていかなければいけないという思いが強くなってきました。

一方で、雑誌『世界』で「脳力《のうりき》のレッスン」という連載を二〇〇回以上続けていて、その中で、世界宗教について中東の一神教から仏教に至るまで、知の基盤として丹念に踏み固めていこうと試みています。キリストを殺してしまったローマ帝国が何故キリスト教を受け入れたのかなどを追いかけているうちに、私は実際に仕事で中東に関わっていた時期があり、イスタンブールにも波状的に行っていましたが、その時に無意識のうちに見ていたものが、いま文献研究とフィールドワークのシナジー（相乗作用）の中で「そういうことだったのか」と突然閃《ひらめ》く瞬間があるのです。

たとえば、イスタンブールはかつての東ローマ帝国の首都コンスタンティノープルであり、東ローマ、つまりビザンツ帝国、そして東方キリスト教を理解する視座がないと、いまプーチンが盛んに「正教大国」といっているロシアが見えてこない。そうした体験をする中で、加藤さんが言っていた「物事のつながり」、「知のつながり」が少しずつ、匍匐《ほふく》前進をするかのように見えかけてきているように思います。

内田さんは私より三歳若く、広い意味で括ってしまうと「団塊の世代」、戦後生まれの日本人の先頭世代です。同世代人として、この人はどう生きてきたのかという興味も非常にあり、また、「知のつながり」を体感する年代になって、その視座への関心もあります。

いま、まさにアメリカを率い世界をかき回しているトランプも我々の世代で、私よりも一つ年上、アメリカでいうとベビーブーマーズです。米大統領選でも「ブーマーズ」という言葉が盛んに使われるように、同じ時代の空気を吸ってきた「一九六八野郎」です。

「一九六八」については第2章で論じていますが、私は早稲田の政経学部という、いかにも政治がかった学部で学生時代を送りました。笑い話ですが、最近私はよくリベラルな人と括られますが、当時の早稲田の政経は、社青同解放派、革マル派、中核派と、全左翼セクトが蠢《うごめ》いており、私はなぜか押し出されていつのまにか一般学生を率いる頭目とされ、当時は立て看板に「右翼秩序派」と書かれていました(笑)。そういう時代の大学の空気を吸いながら、そのまま大学に残れという話もありましたが、もっと現場を見なければだめだという思いから、七三年に日本の総合商社、資本主義の巣窟とも言えるようなところに入り、時代に関わり始めたわけです。

青春時代の内田さんを見ていると、いろいろな紆余曲折があり、若者として苦しんでいた時代を感じます。七〇年安保が一巡したあたりに、ちょっと遅れてきた青年として大学のキャンパスにあらわれた。まだ全共闘運動の余燼くすぶるという時代だったかと思います。

内田　おっしゃる通り、遅れてきたという実感はあります。僕は七〇年入学ですが、その一年前というと三島由紀夫対東大全共闘を駒場の九〇〇番教室でやっていたわけで、一年早く入っていれば……。しかし六九年は東大の入試がなかった年なので、駒場には二年生が基本的にいない。全共闘運動の余燼くすぶるといっても余燼も余燼、本当にそこらにちょっと煙が立っているぐらいの感じでした。一年生だけの学校で、基本的に二年生は本郷に行き、残っているのは新入生リクルートをしなければいけない各運動部の幹部とセクトの有力な活動家たち。そこにドカッと三〇〇〇人以上の新入生が入ってきたから、非常に不思議なところでした。本来ならいろいろなタイプの人たちが一個上にいたはずが、非常に奇矯な方たちだけが残っていて(笑)、ありとあらゆるクラブから一本釣りされる。だから僕は同時並行で、空手部、軽音研、歴史研究会に、マルクス史研究会に入っていました。

同世代が株に奔走する中で

寺島　内田さんの『生きづらさについて考える』(毎日新聞出版、二〇一九年)という本に、世代体験として面白いことが書いてあります。日本は八〇年代後半にバブルの時代に入っていきますが、とくに八五年のプラザ合意後、円高をテコに日本企業が最も外に押し出ていったのが八〇年代末から九〇年代の初頭で、その八七年から九七年までの一〇年間、私はニューヨーク、ワシントンとアメリカ東海岸に張り付いていたわけです。その時代について内田さんは、江藤淳を引いて、「日本は戦争に負けたけれど、いまアメリカとの経済戦争を戦っているんだ」と語る企業戦士がいたと書いておられる。まさにアメリカを買い占める日本、ソニーがコロンビア映画を買った、三菱地所がロックフェラーセンターを買ったなどという頃、私はニューヨークで日米財界人会議などの現地でのロジをやっていました。内田さんは、バブルで一儲けしようという空気感が溢れていた日本の中で、それに強い違和感を感じておられて、地に足のついた誠実な、額に汗して生きるありかたに本能的に共鳴していたのだなと感じながら、これを読みました。

内田　その時は何という醜い国だろうと、リアルな意味で本当にいやでした。いまから回顧すると、僕は別に地に足がついていたわけではなく、実に生産性がないことをやっていたのです。

僕はちょうどバブルの時期に当たる八二年から九〇年までの八年間、大学の助手をやっていて、同年配の人たちがみんな株と不動産取引に奔走する中、レヴィナスというフランスの哲学者の著書を読んで訳すことと、一週間に五日合気道の稽古に行くということをほぼ一〇年間、判で押したようにやっていました。何の緊急性も社会的有用性もない研究ですが、十分に研究費がついて、助手としてお給料をもらい、週に二日だけ勤務すればよい週休五日という待遇でした。そんなことが許してもらえたのは、実はそれだけ社会に余裕があったからです。みんな金儲けに夢中で、大学院なんかに行って研究するようなバカは誰も相手にしない、他人のことはどうでもいいという感じでしたね。いまは時代が変わって、誰がどんな研究をしているのか事細かに査定して、有用性がないものには一切金をやらないというふうになった。奇妙な話ですけれど、バブルの頃は、世間の人たちは誰も大学の研究者のことなんかに関心がなかった。でも、大学の学術的生産性はたいへんに高かった。大学は放っておいてもらうときに一番生き生きしているんです。

戦後日本の「工業生産力モデル」の完成期

寺島　ちょうどそれと裏表の話になりますが、バブル期の日本にいなかったということが私にとって非常に意味を持ったんですね。

商社の一〇年、二〇年先輩が当時東海岸を訪ねてきて、「おまえたちは本当に堕落した。俺たちはな……」と語るわけです。戦後の日本の復興、成長の軌道を支えた企業戦士の時代、一九七〇年代までの日本の『経済白書』には「国際収支の天井」という言葉が登場します。買いたいが売るものがないから外貨が稼げず買えないという状況のことを「国際収支の天井」と表現していました。要するに金を儲ける手段がないから買いたいものも買えないという家計と同じ状況です。

それが、ようやく鉄鋼、エレクトロニクス、自動車が外貨を稼げる産業として育ってきて、日本の「工業生産力モデル」と私は盛んに言っているのですが、私が八七年にニューヨークに行ってからの一〇年間は、工業生産力で外貨を稼ぐという構造が一定の達成段階に入りました。

その一〇年、一五年前をニューヨークで支えた先輩からすると、「国際収支の天井」を上げるために物資部が花形で、クリスマスツリーのランプの見本や燕三条《つばめさんじょう》の洋食器の見本をボストンバッグに入れて売り歩いていて、けんもほろろの応対を受けながら闘ったが、おまえたちは後ろに自動車、鉄鋼、エレクトロニクスなどの産業力を背負っていて楽でいいねと、嫌みにも近いような空気で言われたものです。つまり、我々の世代が経済戦線の最先端に出た頃は、一定の成功モデルの流れに乗っていた時代だったといえます。

そこで、八九年から平成の三〇年に入ってくる。平成が始まる前の八八年、日本のＧＤＰが世界に占める比重はなんと一六％でした。内田さんが生まれた五〇年はまだ「オキュパイド・ジャパン」で、日本のＧＤＰが世界に占める比重は三％です。それを工業生産力モデルで一六％まで跳ね上げたのが、いわばバブルのピークともいえる八九年という年の現実だった。

ところが、ここからが平成三〇年間のパラダイム転換で、一六％だった日本の比重は、わずか六％に落ちました。これがいま世にいう「日本の埋没論」です。数字の上だけの話で、ＧＤＰがすべてではありませんが、三菱総研の「未来社会構想２０５０」という資料では、このままいくと二〇五〇年の日本は世界ＧＤＰに占める比重はわずか一・八％になっているだろう、と予測しています。

内田　一九五〇年よりも低くなるのですね。

寺島　ええ。ペリー来航前の一八二〇年でも、日本のＧＤＰ比重は三％だったというコンピュータ－シミュレーションの結果が出ています。一定の工業生産力モデルの到達点から、平成の三〇年を経て、これは冷戦後の三〇年でもあったわけですが、内田さんはどう総括されますか。

内田　一言で言うと「貧乏くさくなった」ということですね。二〇〇九年までＧＤＰは世界第二位ですから、決して日本は貧しくなったわけではない。二〇年近くアメリカに次ぐ経済大国だったにもかかわらず、見る見るうちに貧乏くさくなった。その時に分かったのです。「貧乏であること」と「貧乏くさいこと」は違う、と。

九一年に大学設置基準大綱化が行なわれて、大学は改革の時代に入りました。文部省（当時）はそれまで大学を「護送船団方式」で丸抱えにしてきて、どこに向かうのか、どれほどの速度で進むのか、すべては文部省が管理する。その代わり、護送されている船は撃沈されたり、暗礁に乗り上げたりするリスクを回避できた。それが、護送していた戦艦が去った。これからはどこでも好きなところに行ってよい、好きな航路を選んでかまわない。ただ、リスクは自己負担しろよ、沈んでも文部省は一切関知しない、となったのです。

明治以来の教育行政の目的は国民の就学機会をいかに増大し、高度化するか、それだけでした。「学校をいかに増やすか」だけを考えていればよかった。それが、一八歳人口がピークアウトしたことによって、一気に「どうやって学校を減らすか」ということが教育行政の課題になった。でも、教育官僚には学校を増やすロジックはあるけれど、減らすロジックはないのです。

マーケットに丸投げされた学校教育

内田　だから、大学の存否の決定をマーケットに丸投げした。それまでは、どのような学校教育を行なうべきか、どのような日本国民を育てるべきかについて、文部省も政治家も実業界も教員たちも曲がりなりにも原理的な議論をしてきたわけです。それがなくなった。大学の生き残りはマーケットが決めるわけですから。マーケットというのは、ジャンクな商品であろうとニーズがあれば大きな顔ができる。逆に、どんなに質のいい商品であっても、誰も買ってくれなかったら無価値です。

そうすると子どもたちは消費者として学校教育に登場してくるようになる。そういう子どもたちにどう応接していくのか、「マーケットのニーズ」にどう応えるのかが九〇年代からの中心的な問いになりました。

大学の存否をマーケットが決めるとなったとたんに、大学は貧乏くさくなりました。「何を教えたいか」ではなく、「マーケットはどんな教育サービスを望んでいるのか」を大学人たちが論じるようになった。そんなニーズに応えるべきかどうか、その適否については、誰も考えないのです。とにかくニーズはある。だったら、向こうのニーズに合ったものを提供する。そうすれば志願者が集まってくる。産業界の人材ニーズがある。それに合う卒業生を輩出していれば企業が買ってくれる。そういうふうに、入口の志願者と出口の就活、この二つの指標だけで学校を評価するという仕組みができました。そのランキングでどう自分たちの順位を上げてゆくか、マーケットシェアを増やしていくのかに血道を上げるようになった。そもそも我々は何を教えようとして教育機関を立ち上げたのか、教育者になったのかという根本的な問いは忘れられたのです。一八歳人口の減少といっても、せいぜい前年度比一％減くらいの変化にすぎません。にもかかわらず教育者のマインドセットは大きく変わった。それから三〇年が過ぎましたが、いま言われている急激な日本の学術的発信力の低下はそのシフトの結果だと思います。

寺島　学術を市場が評価するわけですね。

内田　そうです。消費者としての子どもたちの評価です。「価値ある商品を最も安い代価で買う」というのが消費者の権利であり、義務です。教育の現場における貨幣は学習努力で表されますから、消費者としては、最小限の学習努力で卒業証書や単位や資格を手に入れることが義務になる。

そうやって、人々は商取引のロジックで教育を語るようになった。当然のことながら、学生たちも最小限の学習努力で卒業証書を手に入れることに懸命になった。全く勉強しないで四年間過ごして卒業した学生が一番クレバーだという倒錯が起きたわけです。学力が落ち、大学の学術的発信力も研究力も急坂を転げ落ちるように低下したのは当然です。でも、その流れを作ったのは制度の変化というよりは、人々の「気分」の変化なんです。それを僕は「貧乏くさくなった」と言うわけです。

矮小になった日本の存在感

寺島　九〇年、世界は冷戦の終焉という時代に入って、「新自由主義」という言葉がスーッと台頭してきました。私はその頃かつて「東側」といわれた国々、東側の総本山であったソ連―ロシアを波状的に訪れていたのですが、多くの資本主義陣営にいる人たち、とくにアメリカを中心に、アメリカが勝った、資本主義が勝った、社会主義が敗れたと総括していました。

　そのただ中で、西側から東側に怒濤のごとく入り込んでいくものを目撃しながら、私は『新経済主義宣言』（新潮社、一九九四年、第一五回石橋湛山賞）や『「正義の経済学」ふたたび』（日本経済新聞社、二〇〇一年）という本を書きました。こんなことで資本主義が勝ったといえるのか。マクドナルドやコカ・コーラが「東側」を席巻していくとともに、ウォールストリート、つまりマネーゲーマーが入り込んでいく。そこから一気に金融資本主義の肥大化、跋扈《ばっこ》が起こるわけです。

　この本のテーマである「平成の三〇年とは何だったのか」を総括すると、金融技術革命とＩＴ革命という二つの革命が平成三〇年の世界史を突き動かした。その背後に静かに微笑みながら横たわっているのが、新自由主義なるものの台頭です。

　実はその「市場」にしても、産業資本主義と金融資本主義は決定的に違っていて、産業資本主義は技術を磨き、切磋琢磨して改善に次ぐ改善を重ねていく。戦後日本の価値観を一言でいうなら、ＰＨＰの思想、つまり“Peace and Happiness through Prosperity”の哲学が多くの戦後の経済人の心をとらえていました。それを嘲笑《あざわら》うかのようにマネーゲーム資本主義が力をつけてきたのがこの三〇年です。「貧乏くさくなった」という表現は非常に勘のいい表現で、精神的にマネーゲーム資本主義に吸い寄せられていく空気の中から、貧乏くさい、つまり矮小になった。

日本という国の存在感がきわめて矮小になりました。パナソニックやソニー、トヨタといった戦後日本がつくってきたブランドは、日本の技術力の高さをシンボライズするものとして世界で一定のリスペクトを受けていました。ところが直近の状況として、香港でも、ロンドンのピカデリーサーカスでも、ニューヨークの42番街でも、日本のブランドの名前は消えていきました。

こうした日本の埋没感は何によるのか。そう考えるとき、リフレ経済学とは何なのかに向き合うことになります。安倍政権の七年間はまさにそこから展開してきたわけですが、一言でいうならば「バブル再び」、つまりバブルこそ日本の栄光だとする調整インフレ論です。極端な金融政策で市場をジャブジャブにして眼くらましをかけ、二〇一五年には、二〇二〇年度までに名目GDPを六〇〇兆円まで増大させるという目標を掲げました。私は当初から「釣り天上の経済」といっていましたが、金融を動かして産業や技術がよくなるはずがないのに、日本人全体がリフレ経済学でバブルの夢よもう一度、と拍手を送るような空気がありました。

もう一つのポイントは国際関係です。外交において戦後日本が曲がりなりにも歯を食いしばって守ってきた立ち位置は非核平和主義です。それゆえ一目置かれていたわけで、一〇年前までは日本を安保理常任理事国に、と考える東南アジアの有力者もそれなりにいた。しかし今は「日本への一票はアメリカへの一票、アジアの一票にはならない」と軽くいなされるような雰囲気です。

「金で買える国家主権」の夢

内田　バブル崩壊まで、日本人はとにかく国民が打って一丸となって、敗戦国の瓦礫の中から立ち上がり、世界から尊敬される国になっていこうという夢があったと思います。個人の努力と国運の間に相関があるという幻想が広い範囲で共有されていた。だから、国力がぐいぐい向上した。事実上アメリカの属国である日本が、対米従属からどう脱却して、主権国家としての自立を果たすのか。軍事力や政治力ではアメリカに勝てないけれど、もしかすると経済力だったらいけそうだ、そう日本国民は思いだした。現に、ロックフェラーセンターでもコロンビア映画でも、値札がついているものなら買えるのですから。それなら国家主権だって金で買えるんじゃないか。口には出さなくても、バブル期の日本人はそう思っていた。いずれアメリカを抜いて世界一の経済大国になるかもしれない。そうなったらアメリカも、日本に対して今のような大きい顔はできないだろう。札びらで頬をはたいて、米軍基地には日本国内からお引き取り願い、安全保障戦略についても、エネルギーについても、食糧についても、枢要な政策を自己決定できる国になれるかもしれない――、そういう夢を口には出さずとも持っていたんじゃないかと思うのです。でも、バブルが崩壊してその夢も潰えてしまった。

そこに小泉純一郎が登場してきます。彼は二〇〇四年に国連の安保理事会の常任理事国になる意思があると宣言しました。経済大国として世界一になるという夢は潰えたけれど、アメリカのイーブンパートナーとして世界から「一目置かれる」存在になれるのではないかという夢は残った。事実、小泉首相とブッシュ大統領が「同格の盟友」であるような印象を日本のメディアは実に熱心に流布しました。政治的立場が違う人たちも、小泉首相がブッシュ大統領と「ため口」をきくような関係であることには悪くない気分がした。そこには、この人はもしかすると対米自立を果たしてくれるのではないかという期待があったからだと思います。しかし二〇〇五年、常任理事国入りを目指した国連改革案では日本はまったくアジアの支持を得ることができずに、惨敗しました。

ブッシュ大統領は無能な政治家でしたから、多くの政策的な失敗を犯しましたけれど、小泉首相はその失敗も含めて全面的にアメリカを支持することで、ブッシュ大統領からは厚い信頼を得ることができた。でも、そのせいで国際社会からは「日本はアメリカの政策であれば何でも支持する国だ」と思われてしまった。寺島さんがおっしゃったように、日本が常任理事国になっても、「アメリカの票が一票増えるだけ」だという評価をされて終わった。

こうして二〇〇五年までには経済大国化の夢、政治大国化の夢という二つの夢が潰えた。それからの一五年間、日本は「何をしていいか分からない」ままです。

自民党政権の基本戦略であった「対米従属を通じた対米自立」にしても、「対米自立」という目的は消え去ったけれど、「対米従属」という手段だけは惰性的に続いている。まじめに対米従属している限り、日本の為政者をアメリカは「属国の代官」として承認する。安倍長期政権の理由はそれでです。彼が日本の国益よりアメリカの国益を優先する統治者だからです。彼ほどアメリカにとって都合のよい統治者はいない。永遠に総理大臣をしてもらっていてもよいくらいです。

安倍政権では政権の維持が自己目的化しています。狭いクラスターに権力も財貨も文化資本も排他的に集中させようとしている。日本の国力が逓減《ていげん》してゆく中で、わずかに残っているものを自分とその「お友だち」の間で分配している。そうやって格差が拡大している。これはもはや金融資本主義ですらない。「泥舟資本主義」というべきか「末期資本主義」というべきか、日本の産業や学術や教育や医療について、長期的な持続可能な巨視的ビジョンがない。明日のことさえ分からない。その日その日に思いつきで政策を決定している。それがいまの日本だと思います。

東アジア共同体の「大風呂敷」を支える構想力

寺島　一つ私の意見を付け加えるならば、ワシントンも単純な一枚岩ではなく、日本を深く歴史的にも洞察している人々は、安倍政権について、トランプに尻尾を振る都合のいい政権とだけ見てはいません。これは反米を内在させた表面的な対米追随政権である、と。なぜならこの政権はサンフランシスコ講和条約でさえ腹の中では否定して、再び日本を戦前のパラダイムに返そうとしているからです。ただしそれは筋の通ったものではなく、日和見《ひよりみ》的に、ロシアへの異常な接近などワシントンの癪《しゃく》に障る落とし穴が掘ってあるわけです。

とはいえ安倍政権がナショナリストの政権かというと、戦前のナショナリストとの大きな違いはアジア主義です。大川周明、石原莞爾《かんじ》、宮崎滔天《とうてん》にはアジアの解放という世界観で切り返してくる部分があった。いま「安倍政権的なもの」が発信しているナショナリズムは、「日本がんばれシンドローム」で、しかも中国の台頭という圧倒的なプレッシャーの中での強いコンプレックスに根ざしています。つまり、アメリカと手を組んで中国を抑え込もうというレベルでの対米協調主義であって、米側も「さあ、どうしていくんでしょうね」と苦笑いして見ている。

内田 国権主義者たちだけでなく、自由民権運動の活動家たちもその後、大アジア主義に流れ込んでゆきますね。日本と韓国の対等合併という大胆な構想を語った『大東合邦論《だいとうがっぽうろん》』(一八九三年)の樽井藤吉は自由民権運動の活動家でしたけれど、玄洋社の頭山満《とうやまみつる》の盟友でした。日本列島と朝鮮半島と中国大陸が一つのまとまりとなって欧米帝国主義列強の植民地化に抗するというアイディアは、明治時代には広く共有されていたと思います。

実際には、日本は朝鮮を併合し、満州国を造り、中国を侵略して、欧米列強と同じ帝国主義的なふるまいによってアジアの同胞を裏切るわけですけれども、大アジア主義者たちにしても、初発の動機のうちには純粋なものがあったと思います。アジア人民と手を携えようと朝鮮半島や中国大陸に渡ったけれど、結果的に植民地支配に加担して、アジアの同胞を収奪する側に回ってしまった。そのことに後悔や葛藤を覚えた日本人もたくさんいたと思います。

僕はこの八年間、毎年韓国での講演に招かれているのですけれど、韓国の人に、これからの日韓関係がどうあるべきかについてよく訊かれます。僕の答えは「東アジア共同体」です。米中という二大強国のはざまにあって、韓国と日本と台湾と香港という四つの政治単位が「合従《がっしょう》」するというアイディアです。この四つの政治単位は、統治原理はいずれも民主制ですし、人種的にも近いし、漢字と儒教という文化を共有し、生活文化においても親和性があります。とくに日本と韓国は美意識とか価値観とか、感情生活において非常に近い。

韓国・日本・台湾・香港からなる東アジア共同体は、人口二億人、GDP七兆六〇〇〇億ドル。人口ではドイツ・フランス・イギリス三国とほぼ同じですし、GDPはその三国の合計の八〇%に達します。この四つの政治単位がまとまれば、東アジアにおける大きな経済圏を形成できる。

韓国の知識人も、東アジア共同体の実現可能性についてはそれほど楽観的ではありませんけれど、構想そのものに対してはだいたいどなたも賛成してくれます。これぐらいの大風呂敷を広げないと、長期的なビジョンは語れない。もちろん、穴だらけの構想ですけれども、まずは風呂敷を広げてみないことには、どこの穴から埋めてゆけばいいのかという話が始まらない。

寺島　まさに我々に問われているのは構想力なんですね。冒頭にあげた、日本の世界GDPに占める比重が二〇五〇年には一・八%という予測に沿って考えると、実は二〇一九年、三〇年前には日本の三分の一だったアジア（除く日本）のGDPが日本の四倍を超し、二〇五〇年には日本の二五倍になっていると予想されます。経済人的な発想は欲と道連れですから、成長著しいアジアと付き合っていかなければ日本の将来はない、ということはみんな承知しています。

しかしカネと欲だけでなく、内田さんが大風呂敷といわれたアジアとの構想にまで結び付けていく視点として、ここで踏み固めなければいけないのが、二〇世紀から今日までの一二〇年のうち九〇年近くをアングロサクソン同盟で生きたアジアの国という、日本の異常な立ち位置です。

一九〇二年からの二十数年間は、日露戦争を乗り切った成功体験としての日英同盟があり、戦争を挟んでダッチロールし悲惨な体験をして、敗戦後の一九四五年以降、五一年からの日米安保体制は、新手のアングロサクソンの国であるアメリカとの同盟です。英米の関係がおかしくなると、アジア返りしたり、突然「大東亜共栄圏」と叫んでみたりするけれど、日本外交の軸は長くアングロサクソン同盟だったのです。

この来歴を忘れた、欲に吸い寄せられるようなご都合主義的なアジア論からは何も生まれてこないでしょう。内田さんの言われた共同体的な世界観、アジアとの相互理解と相互利益を実現していくには、日本が自らを省みて、重心を下げて真に向き合っていく覚悟が必要なのです。

令和の課題としての国家神道

寺島　内田さんは、『生きづらさについて考える』でも「天皇主義者」宣言とおっしゃっていますが、「象徴天皇制としての天皇制」に対する理解を踏み固めるという意味での天皇主義といっておられるのかな、と非常に興味深く感じました。明治の国体論における天皇制は、江戸期の国学の台頭の下、明治天皇を軸に日本を神道によって統治していく国家形成を志向したわけです。

明治元（一八六八）年に明治天皇と面談したイギリスの外交官が書き残している記録には、明治天皇は赤い袴と白上衣を着け、お歯黒をして眉毛を剃って口紅をつけていたとあります。そこから急速に軍装の大元帥としての明治天皇というイメージへと移行していきます。つまり、世界中どこにでも見られるような、地域の自然に根差した宗教としての神道から、一神教的な力で国を統治していく、新しい宗教としての国家神道を創設しました。ところが伊藤博文にしても、欧米を旅して各国を研究しながら、次第に天皇の超越性を担保しつつ、天皇という存在を近代国家の中核に位置付けていこうというパラダイム転換があった。

そしていま、実感として、日本の長い天皇制という歴史の中で、象徴天皇制こそ正統な位置付けであることに気付かざるをえない。それは権力ではなく権威として、あるいは政治性とは違う、いわば文化天皇制です。ところが、自民党の憲法改正草案の肝は、国民主権は残すが、第一条を「天皇は元首である」とする考え方です。この「元首」というキーワードの中に込められているのは、政治権力としての天皇です。

加えて、二〇一七年三月、教育勅語を副読本として使っていいと閣議決定した。教育勅語はもちろん親に孝行など、大半は儒教的倫理が説かれていますが、その根幹は、天皇が国民に対し、「一旦緩急アレバ義勇公ニ奉ジ以《もっ》テ天壌無窮《てんじょうむきゅう》ノ皇運ヲ扶翼《ふよく》スベシ」、つまり万一危急のことが起きたら、国のために、天皇のために死ぬ、と述べたことです。

内田　僕の「樹」という名前は実は教育勅語から来ているんです（笑）。「朕《ちん》惟《おも》フニ我ガ皇祖皇宗国ヲ肇《はじ》ムルコト宏遠ニ徳ヲ樹《た》ツルコト深厚ナリ」の「樹（たつる）」なのです。名付け親は父の友人の陸軍中野学校出身の軍人でした。

寺島　それは面白い話ですね。確認しておきたいのは、令和という時代の隠されたアジェンダとして、国家神道の問題に向き合わなければいけないということです。

戦後の日本は、都市化の中で、あらゆる面で宗教性を抑え込み、抹消してきて、きわめて宗教性の希薄な空間を形成してきました。いまある多くの宗教的なものは、一言でいえば「グッドラック宗教」であって、御利益を願い、お守りを買って自分の幸福をひたすら祈ることしか残っていません。その間隙をつくように国家神道の復権を本気で考えている人たちがいる。

「政治化した天皇」は日本史の例外

内田　政治化した天皇というのは、歴史的に見ると例外的です。後醍醐天皇の四年間の天皇親政と明治以降の二つしか歴史的に事例がない。明治以降も、「天皇親政」と言えるのは、美濃部達吉の天皇機関説が不敬として廃絶されてから敗戦までの約一〇年にすぎません。つまり、日本史において天皇が完全に政治化した時期はトータルで二〇年もない。それ以外のすべての時代において、天皇は世俗的な政治権力とは別のかたちで文化的な中心、霊的な権威でした。卑弥呼の時代の「ヒメ・ヒコ制」から、藤原氏による摂関政治、鎌倉から江戸までの将軍政治に至るまで、日本では世俗的な政治権威と、天皇制という文化的＝霊的な権威の二つが併存していた。そちらの方が常態であって、政治権力と文化的＝霊的権威が合一した天皇親政政体の方が例外なのです。

でも、世俗的な権威と霊的権威が併存しているというのは、別に日本だけの特殊性ではなくて、世界中どこでも国家というのはそういうものなのです。アメリカだって、民主制の正統性を保証しているのは人民ではなくて、霊的なものです。リンカーンの「人民の人民による人民のための政治」も、ゲティスバーグの激戦での死者たちへの誓いと神への誓いとして語られたものです。アメリカン・デモクラシーの正統性を担保しているのは「英霊」と神なのです。カトリックを否定したフランス革命でも、ロベスピエールは「最高存在の祭典」を行なって、革命の正統性を担保するために超越的なものを呼び出さざるをえなかった。全く宗教性がないとされる共産主義の国々でも、レーニン、スターリン、毛沢東、チトー、カストロなどを「国父」として神格化しています。神のごとき知性と神のごとき慈愛をそなえた卓越した指導者たちの霊的な権威によって国民は守られているという物語を必ず作る。

安定的な統治機構を維持するためには、二つの統合軸が必要なんです。一方の政治的権威は時代とともに変わるけれど、もう一方の文化的＝霊的権威は時代が変わっても変わらない。変わらないのは、それが「この世ならざるもの」との回路を形成しているからです。それが統治上の安定のためのリスクヘッジなのです。だから、世俗的な為政者が具体的な政策において致命的な失政を犯しても、国の正統性や継続性は文化的＝霊的には保証されている。

この二つが重複してしまうことが共同体にとっては最もリスクが高い。実際に、後醍醐天皇の親政はわずか四年で失敗して日本は二つの天皇制が競合する南北朝抗争という国難的事態に陥ったし、大日本帝国は天皇機関説を廃して、天皇主権説を採用してわずか一〇年後に滅亡した。日本の歴史を徴すれば、政治的権威と文化的＝霊的な権威を接近させることはただちに亡国のリスクを冒すことだと分かるはずです。

ところが、今その致命的失敗を再演しようとしている人たちがいる。自民党改憲案の「天皇を元首に」というのは、大失敗した天皇主権説へのノスタルジーを語っています。天皇機関説によれば、天皇は法人としての国家の「最高機関」であって、内閣の輔弼《ほひつ》を受けて統治を行なう。しかし、天皇主権説では内閣も議会も天皇の絶対的権力には介入できない仕組みになっている。でも、まさにその結果、帷幄上奏権《いあくじょうそうけん》を持っている一握りの軍人たちが天皇の「統帥権」の名の下に、内閣にも議会にも法律にも制約されずに権力を行使できる体制ができた。天皇主権説が軍部の暴走を可能にし、結果的に日本を滅亡の淵に追いやったことは歴史的事実なわけですけれども、改憲派には、それに対する何の反省も感じられません。

いま天皇主権国家の復権を目指している人たちも、別に天皇に権限を与えたいわけではないのだと思います。自分たちが法律にも民意にも制約されずに独裁的な権力を揮《ふる》いたいだけです。天皇を国家元首に掲げて、三権分立制を廃し、緊急事態条項を定めて国会を停止し、政令を以て法律に代えられる独裁制が彼らの理想なんです。今の日本は国力が衰微していって、もうV字回復の望みはありません。だから、沈みかけた泥舟からかき集められるだけのものを書き集めて自分の懐に収めようとしている。見苦しい限りです。

心身の感知能力で未来を生き抜く

寺島　内田さんは『武道的思考』（筑摩書房、二〇一〇年）で「心身の感知能力」という言葉を使われていますね。実はこの後、デジタル・エコノミー、デジタル・トランスフォーメーション、AI、シンギュラリティーという時代に入っていく時、それゆえにこそ生身の人間としての体力、知力が強く問われると、私も考えています。コンピューターに命題を与える役割と能力、つまりは課題設定力ですが、それには全体知が非常に重要になってくる。まさに心身の感知能力が鍵だという気がするのです。

内田　子どもの頃から武道が好きでしたけれど、二五歳からはずっと合気道を稽古してきました。大学を卒業して無業者としてぶらぶらしていた頃ですけれども、その頃にこんな生き方をしていたら、いずれ大変なことになるという自覚がありました。若い頃は時代のせいもあって、とにかく攻撃的な人間だったんです。あらゆるものに嚙みついていた。屁理屈をこねたり、寸鉄人を刺すような言葉を操るのは得意だった。でも、そうやって人を傷つけ、愚弄し、冷笑している生き方にさすがにうんざりしてきた。どこかで仕切り直しをして、師匠について、一から自分を叩き直して修行したいという気になっていた。自分を型にはめて、制御したくなったのです。だから、職人になるのでも、伝統芸能を習うのでも、お寺に入るのでも、何でもよかった。師匠に就いて、根性を叩き直してほしかったんです。さいわい、二五歳の時に素晴らしい武道の師匠に出会うことができた。孫悟空が三蔵法師に頭に輪っかを嵌めてもらったようなものです。これから僕が道を踏み外しそうになったら、この輪っかがきりきりと頭に食い込む。そう思ったらほっとしました。それから四五年間、倦まず弛まず稽古してきました。

日本の伝統的な武道は本来、自分自身の生きる知恵と力を高めていくための行であって、強弱勝敗を競うものではありません。他人との相対的な優劣を争うのではなく、ひたすら自己陶冶に専念する。寺島さんは先ほど「重心を下げる」という言い方をされましたが、武道は、頭で作り出した科学や哲学の理論や概念を通して世界を見るのではなくて、理論的に整序されたり、概念化されたりする以前の生々しい世界と関わる技術だと思います。何が起きているか分からない時でも、どこにいて何をしたらいいのかが生物的に直感できるようになるのが修行の目的なんです。

寺島　人間としての構えが、感知能力につながるのでしょうね。

それは個人が危機やあるいは時代に向き合うスタンスとしてだけではなくて、国や企業や社会を考えても、賢く敵をつくらないというスタンスや、隙をつくらないということにもつながっていきます。さらにいえばものすごく強靭な軍事力を持っているよりも、国として賢さが問われていく時代という認識に通じるものがありますね。いや、通じるどころか、そのものだという思いで受け止めました。

（二〇二〇年二月五日、寺島文庫にて）

おわりに

田中角栄と加藤周一は同世代人であった。田中角栄は一九一八年生まれ、加藤周一は一九一九年生まれである。田中角栄は戦後日本を代表する保守政治家、加藤周一はリベラリストの巨星であり、対照的な存在ではあるが、縁あって二人の生き方と向き合い、この二人が「重層低音」として共通の音楽を奏でていることに気付いた。

それは「中国」と「戦争体験」である。田中角栄は、一九三九年、二一歳で徴兵され、満州で兵役に就き、一九四一年、肺炎になって内地に送還され除隊、「新橋駅に担架に寝たまま長時間放置され、俺はここで死ぬのか」と思ったという。一方、加藤周一は東大の青年医師として「東京大空襲」を体験、際限なく運ばれてくる患者と徹夜で格闘したという。この世代の人には、戦争に至った日本近代史の悲劇への強い問題意識を共有し、近隣の国々にも迷惑をかけたことを痛みとする感受性があった。それが中国に対して誠実に向き合う姿勢、ファシズムを嫌う心理に投影されていたといえる。

その加藤周一と一度だけ対談したことがある(『軍縮問題資料』二〇〇四年二月号)。当時八五歳だった加藤氏と向き合ったわけだが、イラク戦争が進行中の世界状況を背景に、眼光鋭く、「知的活動を前に進めるのは、直観と結びついた感情、わななくような不条理への怒りだ」と語っていたのを思い出す。また、加藤氏が「自分は年齢と共にものごとのつながり見えるようになった」と語っていたが、本書の論稿と向き合いながら、私自身も、これまでの体験や読み込んできた文献のつながりが閃《ひらめ》きとなって「そうなのか」と気付くことが増えてきたように思う。

さて、私にとって同世代人ともいえる内田樹氏との対談によって、自分の立ち位置を再確認する機会を得た。本書にも収録した「一九六八年再考——トランプも『一九六八野郎』だった」(第2章2)のごとく、我々も「一九六八野郎」であり、米国のベトナム反戦運動、パリ五月革命、日本の全共闘運動という「反抗する若者」と同世代だった。「あの頃、どうしていたか」が、結局その後の人生にも決定的に影響しており、私自身は「左翼学生黄金時代」の早稲田のキャンパスで、一般学生をまとめるリーダーの一人として「右翼秩序派」といわれながら、大学の変革に向き合っていた。時代を正視せねばという思いは、その後の企業人として生きた時代にも埋め込まれていたと思う。

もう一つ、私に蓄積されてきたものは、「世界の経済の現場を見てきたことの責任意識」であろう。延べ一五年近く海外で生活してきた。ロンドン、ニューヨーク、ワシントンが長いが、波状的に中東、アジア、ロシアも訪れてきた。「日本を外から見る機会」の蓄積の中で、「外は広く、内は深い」という鈴木大拙の視座、つまり、ものごとを相対的、かつ体系的に考えることの大切さに気付かされてきた。

現在も、年に一〇回以上は海外に動き、今を生きるさまざまな人たちと対話して多くの刺激を受けているが、気付くのは七七億人を超したという世界人口の圧倒的に多くの人が主体的に幸福を探求する、「全員参加型秩序」の時代に向かっているということである。「大国の横暴」の時代は終わりつつある。歴史は紆余曲折を経ているように見えて、着実に「条理」の側に向かうということである。日本人に求められるのも、自分の頭で考え、筋道の通った道を拓く意思である。

おそらく、令和の日本は戦後日本が復興・成長のプロセスで創りだした「米国に依存した通商国家」としての「工業生産力モデル」、つまり産業力で外貨を稼ぎ、国を豊かにするという経済産業の基本枠の再考を求められるであろう。このモデルの成功体験が固定観念となり、米国を基点とする「金融資本主義の肥大化」とＤＸ（デジタル・トランスフォーメーション）の怒濤に埋没しているが、ここで原点に立ち返り、「食料自給率三七％」とまでしてしまった危うさを省察し、「食と農」を新しい技術とシステムで再興することを「日本再生の基点」とする試論を本書では展開した。

また、戦後日本が産業化と都市化を通じて形成してきた都市新中間層を中心とする「宗教無き時代」の間隙をついて鳴動する「宗教の復権」という事態に正対することも、令和日本の課題であろう。カルト教団を含む「新宗教」の鳴動も気にはなるが、より本質的には「埋没する日本」に苛立つナショナリズムを土壌とする「国家神道への回帰」(祭政一致の明治天皇制国家への郷愁)という誘惑の危険を本書では論じた。それは、戦後民主主義の試練にもつながる課題である。

さて、本書の単行本化の作業を終えようとするタイミングで、新型コロナウイルス(COVID-19)の問題が日本においても深刻化し、「全国の小中高等学校への休校要請」まで出る事態となった。緊急避難的対応に関心が集中しがちだが、病原体ウイルスの感染は「グローバル化の影」の部分の噴出であり、こうした問題への政策科学的対応について、付記しておきたい。

本書を貫く問題意識が、直面する課題への構造的認識の深化であり、全体知による解答の模索である。課題への視界を広げる本質的議論が必要と考えるからである。

コロナウイルスの問題は株式市場の暴落を含め、世界経済に重大なインパクトをもたらすであろう。ただし、コロナウイルスの問題が世界経済を危機的状況に追い込んだのではなく、世界経済が抱え込んでいた問題を炙り出したと考えるべきである。

欧州人口の六割が死んだといわれる一四世紀のペストの蔓延、江戸期日本にまでやってきた一九世紀のコレラの恐怖、三五〇〇万人が死んだ二〇世紀のHIV/エイズにしても、「移動と交流」が媒介した感染症であった。「大航海時代」が疫病の大陸を超えた感染をもたらしたことは世界史的事実である。二一世紀に入りグローバル化が加速、日本も外国人来訪者が三一八八万人、日本人出国者が二〇〇八万人(二〇一九年)と、つまり、年間五一九六万人もの人々が国境を越える時代が到来している。

それに伴って感染症リスクも増大するのである。感染症への対応には四段階があり、BSL（バイオ・セーフティ・レベル）という基準がある。BSL－1は「生ワクチン、ヒトや動物に無害な病原体」、BSL－2は「はしかウイルス、インフルエンザ・ウイルスなど」、BSL－3は「狂犬病ウイルス、結核菌、鳥インフルエンザ・ウイルスなど」、BSL－4は「エボラウイルス、ラッサウイルスなど」となっているが、これからの深刻な課題は、致死率五割を超すといわれるBSL－4段階のウイルスへの対応である。致死率二％前後のコロナウイルスでさえこれだけの脅威となっているわけで、BSL－4レベルのウイルスの上陸となれば、事態は深刻である。

現在、日本で対応できるBSL－4施設（高度安全実験施設）は、国立感染症研究所村山庁舎（東京都）だけで、二か所目が長崎大学（長崎市）に建設中である。世界には二四か国・地域に五九か所以上のBSL－4施設が存在するが、私自身、長崎大学でのBSL－4施設建設を検討する委員会に参加し、この分野への知見を深めることができた。

日本が六〇〇〇万人を超すインバウンド（外国人来訪者）を迎えることを期待する「観光立国」を目指すならば、少なくとも、あと数か所のBSL－4施設を準備すべきと考える。BSL－4施設は、ウイルス解明、感染診断、治療支援、ワクチン・治療薬開発、専門家育成などを担うものだが、パンデミック対応の医療体制として、指定医療機関の体系的整備が求められることは論をまたない。

また、こうした対応に踏み込むためには、当然のことながら財源の確保が重要となる。そこで、グローバルな政策課題に対応する財源確保の知恵として「国際連帯税」という視界を紹介しておきたい。基本的には、グローバル化の恩恵を受けるヒト・企業が、グローバル化のリスクを制御するためのコストを応分に負担するべきという主旨で、これからの時代にとって正統かつ不可欠な視点だと思う。

二〇〇六年からフランス、ブラジルなどが「開発のための連帯税に関するリーディング・グループ」を結成、六〇か国以上が参加している。必ずしも国際的合意形成には至っていないが、フランスをはじめ一四か国は「航空券連帯税」を先行導入しており、フランスを行き来する国際便利用者に平均一〇ユーロ程度を課税、確保した財源でアフリカへ感染症ワクチンや公衆衛生資材の供与などを行なっている。

また、英国離脱後のEUでは、ドイツ、フランスなど一〇か国の財務相が、「金融取引税」として、株取引に〇・二%程度の課税を検討しているという。ロンドンの金融街シティを抱える英国の反対によってこれまで進まなかった欧州での金融取引税の動きが、今後加速すると思われる。

金融取引税の本丸は為替の取引への課税であり、最もグローバル経済活動の恩恵を受けているセクターが地球レベルの諸問題に責任を分担する構想は、「新しい世界秩序へのルール形成」として、真剣に検討されるべきものであろう。日本でも、二〇〇八年に超党派の「国際連帯税創設を求める議員連盟」が発足しており、私自身も参画してきた民間の専門家による国際連帯税推進協議会も研究活動を続けているが、具体的導入につながる成果には至っていない。
コンピューター科学の進化によるデータリズムの制御によって、年間五〇〇兆ドルを超すとされる世界の為替の取引に課税する技術基盤も整いつつある。感染症問題や地球環境問題など、グローバル化の影の問題への対応には、新しい政策科学が必要なのである。

さて、雑誌『世界』への連載も二一六回となり、約二〇年ということは、二一世紀と並走していることになる。本書が六冊目の単行本となるが、担当してきてくれた中本直子と熊谷伸一郎両氏には感謝している。書き手にとって、最初に原稿を読んでくれる編集者の反応が、作品へのエネルギー源となる。その後の読者の反応とともに、何度となく気を取り直して次回作に向き合ってきた。書くこととは時代と闘うことでもある。

二〇二〇年三月、桜咲く季節を目の前にして
東京九段下、寺島文庫にて

寺島実郎

1947年北海道生まれ．早稲田大学大学院政治学研究科修士課程修了後，三井物産入社．米国三井物産ワシントン事務所所長，三井物産常務執行役員，三井物産戦略研究所会長等を経て，現在は(一財)日本総合研究所会長，多摩大学学長．国土交通省・国土審議会計画推進部会委員，経済産業省・資源エネルギー庁総合資源エネルギー調査会基本政策分科会委員等，国の審議会委員も多数を務める．

著書に『脳力のレッスンⅠ～Ⅴ』『シルバー・デモクラシー』(岩波書店)，『戦後日本を生きた世代は何を残すべきか』(佐高信共著，河出書房新社)，『ジェロントロジー宣言』(NHK出版新書)，『若き日本の肖像』『二十世紀と格闘した先人たち』(新潮文庫)他．

内田 樹(うちだ たつる)

1950年東京都生まれ．東京大学文学部仏文科卒業，東京都立大学大学院博士課程中退．現在，神戸女学院大学名誉教授．合気道凱風館師範．武道と哲学のための塾「凱風館」を主宰．

著書に『ためらいの倫理学――戦争・性・物語』(角川文庫)，『私家版・ユダヤ文化論』(文春新書，第6回小林秀雄賞)，『街場の現代思想』(文春文庫)，『困難な成熟』(夜間飛行)，『武道的思考』(ちくま文庫)，『生きづらさについて考える』(毎日新聞出版)，『「意地悪」化する日本』(共著，岩波書店)他．

日本再生の基軸――平成の晩鐘と令和の本質的課題

2020年4月 7日　第1刷発行
2023年2月24日　第8刷発行

著　者　寺島実郎《てらしまじつろう》

発行者　坂本政謙

発行所　株式会社 岩波書店
〒101-8002 東京都千代田区一ツ橋2-5-5
電話案内 03-5210-4000
https://www.iwanami.co.jp/

印刷製本・法令印刷　カバー・半七印刷

ISBN 978-4-00-061403-0　　Printed in Japan

寺島実郎の本

脳力のレッスン
——正気の時代のために——
四六判二八四頁
定価二五三〇円

脳力のレッスンⅡ
——脱9・11への視座——
四六判二九〇頁
定価二三一〇円

リベラル再生の基軸
脳力のレッスンⅣ
四六判二八八頁
定価二五三〇円

ひとはなぜ戦争をするのか
脳力のレッスンⅤ
四六判三二二頁
定価二四二〇円

人間と宗教あるいは日本人の心の基軸
四六判二九六頁
定価二二〇〇円

岩波書店刊
定価は消費税10%込です
2023年2月現在